EXAMINANDO AS ESCRITURAS

EXAMINANDO AS ESCRITURAS

Redescubra o alimento que nutre a alma

CHARLES SWINDOLL

Traduzido por Emirson Justino

Publicado originalmente por Tyndale House Publishers, Inc., Carol Stream, Illinois, EUA.

Os textos das referências bíblicas foram extraídos da *Nova Versão Transformadora* (NVT), da Editora Mundo Cristão (usado com permissão da Tyndale House Publishers), salvo as seguintes indicações: *Nova Versão Internacional* (NVI), da Biblica Internacional, Inc.; e *Almeida Revista e Atualizada*, 2ª ed. (RA), da Sociedade Bíblica do Brasil.

Edição
Daniel Faria
Preparação
Cristina Fernandes
Revisão
Natália Custódio
Produção
Felipe Marques
Colaboração
Ana Paz
Diagramação
Sonia Peticov

CIP-Brasil. Catalogação na publicação
Sindicato Nacional dos Editores de Livros, RJ

S98e

Swindoll, Charles R.
Examinando as escrituras: redescubra o alimento que nutre a alma / Charles R. Swindoll; tradução Emirson Justino. – 1. ed. – São Paulo: Mundo Cristão, 2019.
224 p.

Tradução de: Searching the scriptures : find the nourishment your soul needs
ISBN 978-85-433-0393-2

1. Bíblia – Teologia. I. Justino, Emirson. II. Título.

19-56243 CDD: 230.041
CDU: 27-278

Categoria: Teologia
1ª edição: julho de 2019

Publicado no Brasil com todos os direitos reservados por:

Editora Mundo Cristão
Rua Antônio Carlos Tacconi, 69
São Paulo, SP, Brasil
CEP 04810-020
Telefone: (11) 2127-4147
www.mundocristao.com.br

É com genuína satisfação e profundo sentimento de gratidão que dedico este livro a meu amigo de longa data, meu mentor e ex-professor

DR. HOWARD G. HENDRICKS.

Nós nos conhecemos no outono de 1959, quando eu iniciava meus estudos no Seminário Teológico de Dallas. Ele me ensinou muitos dos princípios e técnicas que incluí neste livro. Sua paixão por examinar as Escrituras permaneceu comigo ao longo de meu ministério. Sua instrução me guiou por todos esses anos na preparação e na transmissão das verdades da Palavra de Deus àqueles que têm fome de alimento espiritual. Mais importante, essas técnicas transformaram minha própria vida.

Logo após o falecimento do dr. Hendricks, em 20 de fevereiro de 2013, propus-me prolongar a memória de sua vida compartilhando com outras pessoas aquilo que foi o seu fiel investimento em minha vida há tantos anos atrás. Este livro foi escrito em honra a ele.

Sumário

Introdução

....

Um testemunho do *chef*

Durante mais de sessenta anos, tenho cultivado o amor pela Bíblia e buscado compreendê-la. Meu propósito em escrever este livro é ajudá-lo a fazer o mesmo.

Primeiro, gostaria de oferecer uma explicação sobre como esse caso de amor teve início. Ainda na adolescência, fui atraído às verdades da Palavra de Deus e cativado por sua sabedoria. Meu interesse pela Bíblia pode ser atribuído em grande parte ao fato de eu ter sido criado por uma mãe e um pai que acreditavam em Deus e respeitavam as Escrituras. Eles usavam os conselhos da Bíblia como diretriz para nosso lar, sempre citando trechos de suas páginas enquanto meu irmão mais velho, Orville, minha irmã Luci e eu crescíamos. Foi naquela época que a Bíblia começou a fazer sentido para mim.

Pelo fato de a verdade das Escrituras nos ter servido como fundamento doméstico, nossa casa era um espaço onde o respeito pela autoridade era tão esperado quanto amorosamente ensinado. Ao mesmo tempo, meus pais abriam espaço para discussão e nos davam liberdade para falar o que se passava em nossa mente. As discordâncias em nossa família não geravam feridas nem levavam a discussões infindáveis; em vez disso, eram resolvidas de maneira rápida e correta, tal como a Bíblia ensina. Nossa família não se caracterizava por irritação e olhares carrancudos, nem por exigências duras ou regras e normas impensadas. Pelo contrário: ao mesmo tempo que meus pais honravam, ensinavam e respeitavam a Bíblia, eles também incentivavam a diversão e a descontração. Em nosso lar, o riso era alto e frequente, e os sons da música — tanto vocal quanto instrumental — eram ouvidos todos os dias. Naquele ambiente alegre e equilibrado, nunca me senti oprimido ou explorado por pais dominadores e obsessivos que impunham sobre nós uma longa lista de exigências legalistas sublinhadas por versículos bíblicos arrancados do contexto. Em vez disso, a graça fluía livre e recorrentemente.

Tendo crescido num ambiente desse tipo, desenvolvi o interesse por cultivar um relacionamento com uma mulher que tivesse padrões similares aos meus. Ansiava encontrar uma parceira para toda a vida que amasse o Senhor e sua Palavra; que se deleitasse em uma conversa profunda e fluida; que gostasse de música, de bom humor e de risos; e que estivesse comprometida em aprofundar seu conhecimento da verdade bíblica. Quando Cynthia e eu nos conhecemos, rapidamente percebi que ela era a escolhida, o que nos levou a ficarmos noivos — em uma semana! — e a nos casarmos dezoito meses depois. Durante todo o namoro, descobrimos um interesse mútuo em esquadrinhar as Escrituras. Juntos, frequentávamos estudos bíblicos com o objetivo de estabelecer nosso lar sobre o firme fundamento da Bíblia.

Menos de dois anos depois de nos casarmos, o serviço militar da Marinha dos Estados Unidos me levou a passar mais de dezesseis meses longe de minha esposa, na ilha japonesa de Okinawa. Mesmo ali, intensifiquei meu estudo da Bíblia. Graças a um homem chamado Bob Newkirk, representante do ministério Navigators [Navegadores] que servia na ilha, eu me aprofundei ainda mais na compreensão da Palavra de Deus, o que incluía um programa extenso de memorização das Escrituras e um estudo bíblico semanal com outros que serviam em vários ramos das Forças Armadas. Como resultado, ficou claro para mim que eu deveria buscar um estudo ainda mais profundo das Escrituras em um seminário, com a visão de entrar para o ministério em tempo integral.

Esse chamado surgiu como uma surpresa inesperada para mim, uma vez que representou uma mudança completa de direção em minha carreira. Cynthia se alegrou muito com a decisão. Em um prazo de semanas depois de minha dispensa da Marinha, no verão de 1959, estávamos a caminho do Seminário Teológico de Dallas. Rebocamos um pequeno *trailer* alugado com nossos pertences, sorrindo de orelha a orelha, antecipando o entusiasmo de aprender e crescer juntos. Não consigo descrever a alegria que sentia dentro de mim, por saber que meu amor por Deus seria aumentado e aprofundado, que minha mente seria forçada e desafiada como nunca e que minha fome por uma compreensão mais profunda das Escrituras começaria a ser saciada. Os quatro anos seguintes representaram uma completa mudança de vida.

Foi durante esse período que conheci o dr. Howard G. Hendricks, que era o professor da minha área de interesse e chefe do Departamento de Educação Cristã. Embora eu tenha cursado todas as disciplinas que ele lecionou durante aqueles anos de estudo, a que se mostrou mais proveitosa foi o famoso curso na época chamado de Métodos de Estudo Bíblico. Mesmo eu sendo um estudante da Bíblia desde o final da adolescência, comecei a me dar conta de quão incompleta e inadequada havia sido minha abordagem das Escrituras. Eu havia crescido, ainda que lentamente, em meu conhecimento da Palavra de Deus no decorrer dos anos anteriores, porém eu não tinha um método consistente para estudar e interpretar aquelas verdades — uma metodologia que pudesse me levar a aplicações criteriosas e precisas das Escrituras. Apesar de ter sido sincero e comprometido durante aqueles anos iniciais, meu método carecia de uma abordagem sistemática e confiável. Graças ao que aprendi no curso com o dr. Hendricks no Seminário Teológico de Dallas, finalmente descobri como me envolver em um processo significativo e confiável de exame das Escrituras.

Minha esposa, testemunhando meu entusiasmo sobre aqueles princípios, convidou o dr. Hendricks para ensinar também às esposas dos alunos do seminário. Cynthia organizou um grupo de esposas que se reunia uma noite por semana, na qual qual ele lhes ensinava as mesmas técnicas que ensinava a nós, alunos. Um espírito contagiante de entusiasmo tomou nosso *campus* à medida que maridos e esposas se envolviam no estudo da Bíblia, sendo que, para muitos dos casais, era a primeira vez que faziam isso em sua vida conjugal.

Os princípios que Cynthia e eu aprendemos nos meus primeiros anos de estudo no seminário são os mesmos que tenho usado desde que entrei para o ministério em 1963. Não se passa uma só semana sem que eu volte àquelas diretrizes testadas e aprovadas que absorvi décadas atrás. Até hoje, jamais preguei um sermão, conduzi sessões de ensino, apresentei programas de rádio e *podcasts* ou ministrei um breve devocional sem primeiro colocar esses princípios em prática.

Abrir a Palavra de Deus tornou-se, para mim, um verdadeiro banquete. O que aprendi com o prof. Hendricks tornou-se alimento para minha alma. Assim como esses princípios me fizeram bem ao longo de mais de cinquenta anos de ministério, quero transmiti-los a outros — *incluindo você* — por meio deste livro. O resultado de aprendê-los e colocá-los em prática é que você também poderá conhecer a satisfação de abrir as páginas da sua Bíblia sem que se sinta amedrontado ou intimidado. Você também poderá compartilhar com outros, de maneira confiante, aquilo que colher de seu estudo das Escrituras. Se você é ministro do evangelho, evangelista, missionário ou alguém que ensina a Palavra de Deus em qualquer outra posição, poderá ter certeza de que aquilo que você comunica está em conformidade com o que Deus escreveu. Você poderá experimentar a alegria da descoberta pessoal, bem como a grande satisfação de ajudar outros a alcançarem uma compreensão da verdade de Deus.

O processo de reunir esses princípios em sua mente e em seu coração é como passar o bastão em uma corrida de revezamento. Anos atrás, recebi esses *insights* magníficos de uma pessoa que os estruturou e, agora, é meu prazer passar o bastão da minha mão para a sua. Esse revezamento tem ocorrido há séculos. Já idoso, o missionário Paulo escreveu a Timóteo, seu jovem amigo que pastoreava uma igreja na Éfeso antiga, as seguintes palavras: "Você me ouviu ensinar verdades confirmadas por muitas testemunhas confiáveis. Agora, ensine-as a pessoas de confiança que possam transmiti-las a outros" (2Tm 2.2). Quando terminar de ler estas páginas, você estará capacitado a pesquisar as Escrituras por conta própria e bem preparado para passar o bastão a outros com grande alegria e confiança.

Antes de começarmos, preciso expressar minha profunda gratidão a meu colega Rhome Dyck, editor atento e extremamente capaz. Ele trabalhou comigo com muita dedicação, desde os blocos iniciais até a linha de chegada. Sua mente criativa e suas mãos habilidosas foram de valor inestimável na ajuda que me deram conforme afiávamos ideias, transformávamos pensamentos em palavras, planejávamos com cuidado o *design* interno e, então, juntávamos tudo para criar este livro. Minha gratidão a esse homem talentoso não tem limites.

CHUCK SWINDOLL
Frisco, Texas

PRIMEIRO ESTÁGIO

Encontrar a comida

1
Observando as prateleiras

....

A compreensão da história básica da Bíblia

As pessoas estão frustradas. Talvez você esteja se sentindo assim também.

Observe a situação. Você pega uma Bíblia, aquele livro grande e pesado, com páginas finas e impressão em letras pequenas. Já lhe disseram que é o livro mais vendido de todos os tempos, que milhares — ou melhor, milhões — de pessoas tiveram a vida transformada ou o casamento mudado por causa do que está escrito ali. Contudo, por mais que você tenha se esforçado, muitas coisas ainda não entraram na sua cabeça! Outros podem ter sido ajudados e confortados, mas você se sente desorientado. A bem da verdade, você está completamente confuso. Por maior que seja seu desejo de entender, nada faz sentido.

O que há de errado? O que está faltando? Mesmo sendo bastante inteligente e dedicado em se aprofundar na Palavra de Deus, por que não consegue ficar animado diante dela?

Se a Bíblia fosse uma refeição *gourmet*, você certamente ficaria com água na boca. Assim como precisa conhecer a cozinha para aprender a cozinhar, você precisa conhecer a estrutura básica da Bíblia e os principais alimentos que nela se encontram. Você também precisará descobrir alguns dos sabores únicos que a Palavra de Deus oferece. É isso o que tentaremos fazer neste capítulo. Primeiramente, analisaremos como a Bíblia está estruturada. Depois, descobriremos por que devemos reservar tempo para estudá-la e para aprender o que ela pode nos ensinar. Ao dividir as Escrituras em seções menores, teremos melhores condições de compreender o que Deus está nos dizendo. No decorrer do caminho, também começaremos a entender a consistência, a importância e a beleza da mensagem de Deus. Portanto, vamos começar!

Uma visão geral da Bíblia

A primeira coisa que precisamos saber é que a Bíblia inclui um total de 66 livros. Alguns desses livros são cartas pessoais, alguns são cânticos e outros estão escritos como relatórios ou diários; também existem códigos legais e histórias. As palavras da Bíblia foram sopradas por Deus e registradas por cerca de quarenta autores humanos durante um período de aproximadamente 1.500 anos. Como Paulo explica a seu pupilo Timóteo: "Toda a Escritura é inspirada por Deus e útil para nos ensinar o que é verdadeiro e para nos fazer perceber o que não está em ordem em nossa vida. Ela nos corrige quando erramos e nos ensina a fazer o que é certo" (2Tm 3.16).

A Bíblia está dividida em duas grandes seções: o Antigo Testamento, que prevê a vinda de Jesus, o Messias; e o Novo Testamento, que apresenta Jesus como o Messias e explica seu ministério e seu propósito.

Um aspecto curioso das Escrituras é que os livros não aparecem em ordem cronológica. Não é de admirar que muitas pessoas se sintam frustradas quando tentam entender a Bíblia!

Vale a pena nos lembrarmos disto: a Bíblia está montada de maneira muito semelhante a um jornal. Pense em como um jornal é preparado. As notícias são colocadas em uma seção (também chamada de caderno), as informações e resultados de esportes em outra seção, as matérias sobre negócios e estilos de vida agrupadas em outra, e em uma outra seção ficam os classificados. Do mesmo modo, na Bíblia, o Antigo Testamento começa com os livros históricos — de Gênesis a Ester. Em seguida, os livros poéticos aparecem juntos — de Jó a Cântico dos Cânticos. Por fim, na última parte do Antigo Testamento, temos os livros proféticos — de Isaías a Malaquias. Essas três seções principais, que representam três tipos de literatura, compõem os 39 livros do Antigo Testamento. O Novo Testamento está organizado de modo semelhante. Os evangelhos incluem os livros de Mateus, Marcos, Lucas e João, e nos contam as boas-novas da vida, morte e ressurreição de Jesus. Atos é um livro de história que cobre a fundação da igreja. Em seguida, temos todas as cartas, que normalmente são divididas entre as cartas de Paulo (Romanos a Filemom) e as cartas gerais (Hebreus a Judas). Por fim, temos Apocalipse, que é um livro profético.

Ao iniciarmos nossa breve jornada pelas Escrituras, somos capazes de perceber que a Palavra de Deus não foi planejada para ser apenas um livro bonito colocado sobre a mesinha de centro. Em vez disso, devemos pensar na Bíblia como uma deliciosa refeição — na verdade, como um banquete feito para ser desfrutado e saboreado. Todas as vezes que sentirmos uma fome profunda em nossa alma, precisamos nos voltar para as Escrituras a fim de obter nosso sustento espiritual. O interessante é que, quanto mais aprendermos e crescermos em nosso estudo pessoal das Escrituras, mais bem preparados estaremos para ensinar essas verdades saborosas a outras pessoas.

TIPOS DE LIVROS DA BÍBLIA

Antigo Testamento	Novo Testamento
Livros históricos	***Evangelhos***
Gênesis—Ester	Mateus—João
Livros poéticos	***Livro histórico***
Jó—Cântico dos Cânticos	Atos
Livros proféticos	***Cartas***
Isaías—Malaquias	Romanos—Judas
	Livro profético
	Apocalipse

Antigo Testamento

Livros históricos

O primeiro prato de nosso banquete literário nos é servido na primeira seção do Antigo Testamento. Essa seção histórica das Escrituras é muitas vezes chamada de *narrativa*, já que Deus está comunicando sua Palavra como uma grande história. Contudo, uma vez que os cinco primeiros livros da Bíblia contêm os Dez Mandamentos e as leis a serem seguidas por Israel, eles são mais conhecidos como livros da Lei. A história começa em Gênesis 1, em que lemos sobre Deus criando todas as coisas. Qual é a joia da coroa de sua criação? Você adivinhou: Adão e Eva, que carregavam a imagem do seu Criador. Ao viverem em comunhão perfeita com Deus, Adão e Eva receberam a oportunidade de obedecer ao Criador. Mas ainda no início da história, em Gênesis 3, eles se rebelaram e desobedeceram ao mandamento de Deus. O pecado deles rompeu o relacionamento que tinham com seu Deus santo.

Desse ponto das Escrituras em diante, testemunhamos muitas e muitas vezes os terríveis resultados do pecado. Ao mesmo tempo, observamos a graça e o perdão de Deus, que cuidadosamente revela seu plano para redimir sua criação. Em Gênesis 12, Deus escolhe Abrão (que, mais tarde, passa a se chamar Abraão) e sua esposa Sarai (Sara) para serem os pais de uma nação especial. Por fim, essa nação se torna conhecida como Israel. Por meio de Abraão e de seus descendentes, todas as famílias da terra serão abençoadas. Que promessa importante e maravilhosa!

O restante de Gênesis conta as histórias fascinante de Abraão e de suas três gerações seguintes. Com o passar do tempo, eles se transformaram em uma grande família e terminaram no Egito, em razão da falta de alimentos. Com uma virada de página, o livro de Êxodo dá continuidade à história quatrocentos anos depois, apresentando a família de Abraão abençoada por Deus e transformada em uma nação composta por doze tribos. Temerosos de seu poder em potencial, os egípcios escravizaram os israelitas. Quando estes clamaram a Deus pedindo alívio de seu labor injusto e doloroso, ele respondeu levantando Moisés para libertar seu povo do Egito e para levá-lo até a especial Terra Prometida.

A narrativa continua e, no caminho para a Terra Prometida, Deus deu aos israelitas sua lei para que seguissem e vivessem de acordo com ela. Esses códigos explicam como o povo de Deus deve desfrutar de um relacionamento de amor com ele e uns com os outros. Porém, quando as doze tribos finalmente chegaram à entrada da Terra Prometida, não confiaram que Deus poderia livrá-las. A terra da promessa estava ocupada por cananeus enormes, e os israelitas achavam impossível que aqueles povos fossem derrotados. O medo se sobrepôs à fé. Consequentemente, aquela geração incrédula foi deixada para morrer enquanto vagueou pelo deserto por quarenta longos anos. Grande parte dessa peregrinação está registrada na parte final de Êxodo e por todo o livro de Números.

O livro de Deuteronômio é, na verdade, uma mensagem aos filhos crescidos daquela geração descrente que morreu no deserto. Deus chamou

Moisés para repetir e enfatizar as leis divinas a essa nova geração. O desafio para conhecer e ensinar a Palavra de Deus é claro:

> Estes são os mandamentos, os decretos e os estatutos que o Senhor, seu Deus, me encarregou de lhes ensinar. Não deixem de cumpri-los na terra que em breve vocês possuirão. Vocês, seus filhos e netos temerão o Senhor, seu Deus, enquanto viverem. Se obedecerem a todos os seus decretos e mandamentos, desfrutarão de vida longa. Ouça com atenção, Israel, e tenha o cuidado de obedecer. Então tudo irá bem com vocês e terão muitos filhos na terra que produz leite e mel com fartura, exatamente como lhes prometeu o Senhor, o Deus de seus antepassados.
>
> Ouça, ó Israel! O Senhor, nosso Deus, o Senhor é único! Ame o Senhor, seu Deus, de todo o seu coração, de toda a sua alma e de toda a sua força. Guarde sempre no coração as palavras que hoje eu lhe dou. Repita-as com frequência a seus filhos. Converse a respeito delas quando estiver em casa e quando estiver caminhando, quando se deitar e quando se levantar. Amarre-as às mãos e prenda-as à testa como lembrança. Escreva-as nos batentes das portas de sua casa e em seus portões.
>
> Deuteronômio 6.1-9

Observe nessas palavras que Moisés ficou encarregado de *ensinar* os israelitas a obedecer à Palavra de Deus. Perceba também que aprender a Palavra de Deus gera resultados — neste caso, a obediência. Além disso, Deus disse ao povo que a obediência permitiria que os israelitas *desfrutassem de uma vida longa*. Essas primeiras sentenças de Deuteronômio 6 estão dizendo, em resumo, que a obediência à Palavra de Deus resulta na bênção de Deus.

Contudo, obedecer a Deus não é automático; não é algo que se alcança simplesmente por se conhecer a instrução divina. Aprendemos aqui que amar nosso grande Deus de todo o coração inclui ensinar e explicar a Palavra dele a outras pessoas. Sendo assim, o que é que Deus está comunicando? Que os pais têm a responsabilidade de ensinar seus filhos e lembrá-los das verdades divinas. Esse mandamento antigo deveria ser obedecido tanto na época em que foi apresentado quanto deve ser hoje. Geração após geração deve aprender as verdades do Senhor, obedecer-lhes e ensiná-las. Passagens atemporais como essa se aplicam a todas as gerações, incluindo a nossa.

Este é um bom momento para destacar que o estudo da Palavra é para todos. Embora haja um papel específico para o pastor-mestre, Deus não limita a explicação de sua Palavra a determinados especialistas. Em vez disso, a Palavra de

Deus deve ser aprendida, aplicada, obedecida e passada adiante sucessivamente. Pessoas comuns, incluindo pais que ensinam seus filhos, são todas elas parte do plano divino. Examinar as Escrituras não é algo restrito a um grupo especializado — as Escrituras são acessíveis a toda e qualquer pessoa.

A propósito, o estudo diligente da Palavra de Deus não é mencionado apenas no livro de Deuteronômio. É um tema que você encontrará repetido diversas vezes por toda a Bíblia.

Voltemos agora à história bíblica. A grande narrativa prossegue à medida que Deus conduz a nova geração para a conquista da Terra Prometida sob a liderança de Josué. Infelizmente, assim que se estabeleceram na terra, as doze tribos tiveram dificuldades para obedecer fielmente ao seu Deus. Isso levou a um período em que Israel passou a ser governado por juízes levantados pelo Senhor. Deus libertava seu povo de seus inimigos para, logo em seguida, eles caírem em pecado outra vez. Foi um ciclo perverso e trágico! Por fim, em meio à rebelião contra Deus, o povo lhe pediu um rei humano, para que sua nação pudesse ser como as nações pagãs ao seu redor. Deus concedeu seu pedido, mas eles se arrependeram amargamente.

Livros poéticos

A parte seguinte da história da Bíblia nos leva ao início do reino de Israel, primeiro sob o rei Saul, depois sob o rei Davi e, por fim, sob o rei Salomão. Essa coleção de livros é por vezes chamada de *literatura de sabedoria*, porque foi escrita para transmitir a sabedoria divina àqueles que criam na Palavra de Deus e obedeciam a ela.

Provérbios é um dos livros poéticos do Antigo Testamento. Escrito e compilado principalmente por Salomão, Provérbios explica e enaltece o comportamento sábio aos olhos do Senhor. Considere o início do capítulo 2:

> Meu filho, preste atenção às minhas palavras
> e guarde meus mandamentos como um tesouro.
> Dê ouvidos à sabedoria
> e concentre o coração no entendimento.
> Clame por inteligência
> e peça entendimento.
> Busque-os como a prata,
> procure-os como a tesouros escondidos.

Então entenderá o que é o temor do SENHOR
e obterá o conhecimento de Deus.
Pois o SENHOR concede sabedoria;
de sua boca vêm conhecimento e entendimento.
Ele reserva bom senso aos honestos
e é escudo para os íntegros.
Guarda os caminhos dos justos
e protege seus fiéis por onde andam.
Então você entenderá o que é certo, justo e imparcial
e saberá o bom caminho a seguir.

Provérbios 2.1-9

Na passagem acima, Deus nos lembra que devemos ouvir e estudar suas instruções, e também obedecer a elas. Perceba a diligência envolvida no estudo da Palavra de Deus: devemos investigá-la como alguém que busca um tesouro escondido. Eu me recordo vividamente da determinação e da diligência com que me aprofundei nas páginas da Bíblia quando passei a levar minha fé a sério enquanto servia à Marinha na ilha de Okinawa. Que grandes tesouros encontrei ao investigar as Escrituras! Fui ainda mais fundo quando cursei o seminário.

O segundo capítulo de Provérbios explica o que se alcança com o estudo das Escrituras: sabedoria para encontrar o curso correto de ação para a vida. A Bíblia, como a Palavra inerrante de Deus, nos dá o discernimento de que precisamos. É por essa razão que as pessoas que aprenderam a estudar as Escrituras são algumas das mais alegres e pacíficas do planeta. É necessário algum esforço para aprender a identificar de forma consistente a verdade da Bíblia, mas o esforço vale muito a pena. Quando entrarmos no processo de exame das Escrituras, mais adiante neste livro, você descobrirá quanto esse estudo pode ser benéfico.

Livros de profecia

O insistente chamado de Deus para estudarmos sua Palavra nem sempre é dado como uma ordem positiva. Às vezes Deus confronta seu povo com o pecado de ignorá-lo e a seus mandamentos. Isso é visto com frequência nos livros dos profetas, que estão contidos na terceira e última seção do Antigo Testamento. Os profetas eram homens destemidos e determinados!

REIS DE ISRAEL	
O reino unificado	
Saul	
Davi	
Salomão	
O reino dividido	
Reis de Israel	***Reis de Judá***
Jeroboão I	Reoboão
Nadabe	Abias
Baasa	Asa
Elá	Josafá
Zinri	Jeorão / Jorão
Onri	Acazias / Jeoacaz
Acabe	Atalia (rainha)
Acazias	Joás / Jeoás
Jorão / Jeorão	Amazias
Jeú	Uzias
Jeoacaz	Jotão
Joás / Jeoacaz	Acaz
Jeroboão II	Ezequias
Zacarias	Manassés
Salum	Amom
Menaém	Josias
Pecaías	Jeoacaz
Peca	Jeoaquim
Oseias	Joaquim / Jeconias
	Zedequias

De Isaías a Daniel temos os cinco livros dos *Profetas Maiores* do Antigo Testamento. Eles são chamados de profetas maiores simplesmente porque seus escritos são mais longos. Em seguida, temos os doze *Profetas Menores*, que escreveram livros mais curtos: de Oseias a Malaquias. O trabalho de um profeta era falar como porta-voz de Deus. Ele comunicava a mensagem clara, firme e muitas vezes de confrontação vinda de Deus a fim de direcionar o monarca no poder e o povo nos caminhos do Senhor. Em certo sentido, esse era o ofício mais elevado na terra de Israel — ainda mais importante que o do próprio rei. Contudo, os profetas costumavam ser ignorados, zombados, ridicularizados e até mesmo mortos pelos reis ou pelo povo.

Depois dos primeiros três reis de Israel (Saul, Davi e Salomão), o reino se dividiu devido a problemas relacionados a impostos. As dez tribos do norte se uniram e mantiveram o nome *Israel*. As duas tribos do sul juntaram forças sob o nome *Judá*. Esse período do reino dividido durou até o final do Antigo Testamento. (Observe que é sempre uma boa ideia ler 1 e 2Reis e 1 e 2Crônicas com atenção, pois há momentos em que o autor está tratando de eventos no reino do norte e, em outros momentos, do reino do sul.)

Cada reino teve seus próprios reis. Deus levantou profetas durante esse período para falar aos monarcas e ao povo. Veja três fatores simples para ter em mente quanto ao papel de um profeta:

- Como porta-vozes de Deus, os profetas estavam preocupados em primeiro lugar com a restauração do relacionamento entre o Senhor e seu povo.
- Os profetas chamavam constantemente ao arrependimento e advertiam sobre o julgamento vindouro.
- Os profetas ofereciam uma mensagem de esperança ao antever um futuro no qual Deus restauraria seu povo.

Contudo, a despeito das advertências dos profetas, nada menos que vinte reis sucessivos ignoraram a palavra do Senhor, e o julgamento sobreveio às dez tribos do norte. Em 722 a.C., a poderosa nação da Assíria atacou e capturou o reino de Israel e integrou a nação ao seu império ímpio.

PRINCIPAIS DATAS DA HISTÓRIA DE ISRAEL

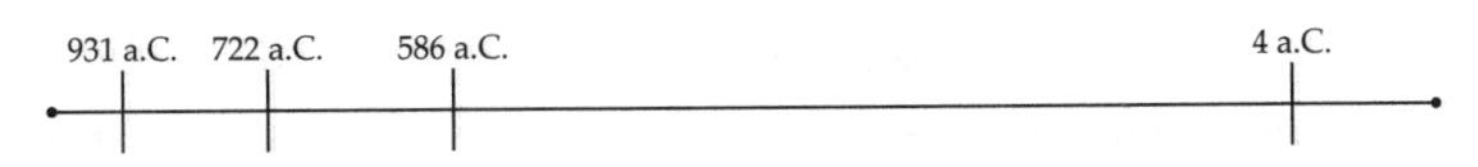

931 a.C. O reino se divide depois da morte de Salomão

722 a.C. A Assíria captura e leva para o exílio o reino do norte (Israel).

586 a.C. A Babilônia destrói Jerusalém e leva para o exílio o reino do sul (Judá) por setenta anos.

4 a.C. (?) Jesus nasce em Belém.

O reino do sul não se saiu muito melhor. A nação teve ocasionalmente um ou outro rei justo, mas, na maior parte do tempo, também se caracterizou pela desobediência. Cerca de 150 anos depois de o reino do norte ter caído ante a Assíria, o reino do sul foi atacado pela Babilônia e levado para o exílio em 586 a.C. A exemplo dos assírios, os babilônios eram um povo cruel e implacável. Destruíram tudo que havia em seu caminho, incluindo a capital Jerusalém, seus muros e o templo que Salomão tinha construído para Deus.

O profeta Jeremias viveu nos dias turbulentos que levaram ao exílio babilônico de Judá. A mensagem de Deus transmitida por ele é um exemplo de julgamento do Senhor que era típico dos profetas. As palavras do Senhor foram afiadas, uma vez que o povo continuava a ignorá-lo:

> "Meu povo é tolo
> e não me conhece", diz o SENHOR.
> "São crianças sem juízo,
> que não entendem coisa alguma.
> São astutos para fazer o mal,
> mas não têm ideia de como fazer o bem."
>
> Jeremias 4.22

Como é possível falar dessa maneira? Os profetas de Deus não retinham nada; eles declaravam a verdade sem medo.

Esse julgamento contra a desobediência é um importante lembrete para todas as pessoas, inclusive para nós hoje. Deus se fez conhecido mediante seu Livro, a Bíblia. Somos tolos se não estudarmos sua Palavra cuidadosamente. Aqui está um bom mote para ter em mente: sem estudo, sem estabilidade. Não há atalho para a maturidade. Ela vem de maneira lenta, mas garantida, para aqueles que examinam as Escrituras.

A desobediência do povo de Judá por fim levou-o ao exílio na Babilônia. Contudo, Deus não ficou calado. Ele continuou a levantar profetas, como Daniel e Ezequiel, para chamar o povo ao arrependimento de suas transgressões. Esses profetas também predisseram a chegada do Messias, o qual por fim salvaria Israel de seu pecado.

Depois de setenta anos sofridos e solitários de cativeiro, o império persa, sob o comando do rei Ciro, conquistou o império babilônio e permitiu que os cativos voltassem para a terra natal. Mas muitos cativos haviam se acomodado na Babilônia e na Pérsia, de modo que menos da metade do povo retornou para a Terra Prometida. O Antigo Testamento se encerra com Israel sendo uma mera sombra do que havia sido. Os remanescentes estavam lutando para se restabelecer depois de reconstruir os muros de proteção de Jerusalém e erguer uma versão bastante modesta do templo de Salomão. Eles ansiavam pela vinda do Messias para restaurar sua terra.

A história da reconstrução de Jerusalém é narrada nos livros históricos do Antigo Testamento, em Esdras e Neemias, bem como por meio dos profetas. É por isso que os leitores da Bíblia podem ficar confusos ao ler sobre os eventos que ocorreram durante o período do reino dividido. Existem dois conjuntos de reis, um no norte e outro no sul, e há pelo menos dois livros nos quais a história está sendo explicada — a narrativa histórica e o relato proveniente da boca do profeta de Deus em atividade naquele período. Não é de surpreender que muitas pessoas parem de ler a Bíblia quando chegam à era dos dois reinos!

Agora que o esboço básico do Antigo Testamento foi apresentado, é como se tivéssemos uma receita para o prato principal que você está prestes a preparar. Você pode se familiarizar com os ingredientes e os passos necessários para prepará-los, a fim de obter uma refeição nutritiva na qual você se deleita. O estudo da Palavra de Deus não é nem opcional nem ocasional. É fonte de sabedoria, conhecimento e entendimento para a vida diária — tanto nos tempos antigos quanto hoje. Quanto mais você examinar as Escrituras, mais perceberá sua relevância. A Bíblia é, ao mesmo tempo, atemporal e verdadeira.

Novo Testamento

Os quatro evangelhos

Prossigamos em nosso banquete espiritual. Cerca de quatrocentos anos depois de Malaquias, o último profeta do Antigo Testamento, chegamos ao segundo prato: o Novo Testamento, que oferece a tão aguardada esperança prometida pelos profetas de Deus. Os quatro primeiros livros do Novo Testamento — Mateus, Marcos, Lucas e João — costumam ser chamados de *evangelhos*. O termo *evangelho* significa simplesmente "boas notícias" ou "boas-novas". As boas-novas apresentadas nesses quatro livros nos informam que Jesus é o tão esperado Messias. Cada um dos quatro livros nos fala sobre a vida, a morte e a ressurreição de Jesus. Cada autor mostra à sua audiência particular como Deus ofereceu salvação a todos nós por meio de seu Filho, Jesus.

O ministério de Jesus foi marcado por um estilo singular de ensino com o qual precisamos nos familiarizar. Com frequência, ele ensinou as pessoas usando *parábolas*, pequenas histórias que transmitiam um ponto específico. Examine as palavras de Jesus em seu primeiro e mais famoso sermão, o Sermão do Monte:

> Quem ouve minhas palavras e as pratica é tão sábio como a pessoa que constrói sua casa sobre uma rocha firme. Quando vierem as chuvas e as inundações, e os ventos castigarem a casa, ela não cairá, pois foi construída sobre rocha firme. Mas quem ouve meu ensino e não o pratica é tão tolo como a pessoa que constrói sua casa sobre a areia. Quando vierem as chuvas e as inundações e os ventos castigarem a casa, ela cairá com grande estrondo.
>
> Mateus 7.24-27

As imagens usadas na história são claras. Ouvir — e seguir — as palavras de Cristo equivale a construir uma casa sobre um alicerce sólido e firme como uma rocha. Mas ignorar tais ensinamentos é o mesmo que construir uma casa sobre um alicerce instável e inseguro. Qualquer que tenha sido a fundação sobre a qual construímos nossa vida, todos nós enfrentaremos dificuldades, e quem não estiver fundamentado na verdade do ensinamento de Cristo "cairá com grande estrondo".

A mensagem de Jesus é poderosa e atemporal. Embora algumas palavras e princípios da Bíblia possam parecer intimidantes no início, não podemos permitir que isso nos impeça de ir mais fundo. Os resultados da ignorância são devastadores. As quatro passagens que analisamos neste capítulo oferecem uma mensagem consistente: estudar a Bíblia não apenas é possível como viável. O hábito é indispensável para a vida e o ministério. Não há substituto! Examinar as Escrituras gera riquezas de vida incomparáveis.

Um livro de história

Depois dos quatro primeiros livros (os evangelhos), chegamos ao único livro de história do Novo Testamento: Atos, também conhecido como Atos dos

Apóstolos. Essa narrativa empolgante retoma a história de Jesus no ponto em que os evangelhos encerraram. Começa com a ascensão de Cristo ao céu, seguida pela vinda e pela capacitação do Espírito Santo. Em seguida, Atos conta a história do início da igreja, conforme os seguidores de Jesus compartilham as boas-novas da morte e da ressurreição de Jesus com outras pessoas e, posteriormente, começam a plantar igrejas por todo o mundo conhecido.

As cartas de Paulo

O restante do Novo Testamento é composto por cartas escritas por vários seguidores de Jesus, os quais foram inspirados pelo Espírito Santo para registrar verdades confiáveis pelas quais os cristãos deveriam viver. Elas explicam o significado da vida, morte e ressurreição do Salvador. O primeiro conjunto de cartas foi escrito pelo apóstolo Paulo, começando com Romanos e seguindo até Filemom. Desse grupo fazem parte duas cartas que Paulo escreveu a Timóteo, seu amigo mais novo e substituto no ministério. A segunda carta a Timóteo, escrita no final da vida de Paulo, inclui esta ordem:

> Esforce-se sempre para receber a aprovação do Deus a quem você serve. Seja um bom trabalhador, que não tem de que se envergonhar e que ensina corretamente a palavra da verdade.
>
> 2Timóteo 2.15

O imperativo de Paulo a Timóteo, "esforce-se", ou "estude", era o que o capacitaria a explicar a Bíblia com precisão. Parece familiar? Assim como Deus disse em Deuteronômio 6, aprender sobre a Palavra de Deus e obedecer a ela sempre leva ao ensino da Palavra de Deus. Paulo queria garantir que Timóteo entendesse essa fórmula como o objetivo primário de seu ministério. Essa mesma incumbência nos é passada hoje. Somos chamados a explicar as Escrituras corretamente aos outros, mas isso exigirá trabalho cuidadoso e diligente. A Bíblia não confia sua verdade a mentes preguiçosas!

As cartas gerais

Depois das cartas de Paulo, o Novo Testamento inclui cartas escritas por outros seguidores de Jesus: os livros de Hebreus a Judas. De maneira similar às cartas de Paulo, elas chamam os seguidores de Cristo a uma vida de fidelidade, disciplina, pureza e serviço aos outros. Essas cartas nos ajudam a entender o propósito e a estrutura da igreja e os ministérios que ela deve exercer, seja qual for a época.

Um livro profético

O último livro do Novo Testamento é Apocalipse, que apresenta um olhar profético sobre o final da história humana. Trata do retorno glorioso de nosso Salvador, do julgamento do pecado e de como Cristo tornará novas todas as coisas.

Essas quatro seções do Novo Testamento — evangelhos, história, cartas e profecia — completam nossa refeição de vários pratos por todos os 66 livros da Bíblia. Minha esperança é que você tenha começado a perceber que examinar as Escrituras não apenas é um mandamento de Deus como também algo possível de ser realizado, com alguma ajuda. Podemos fazer isso juntos. Será minha alegria ajudá-lo a estudar as Escrituras por si mesmo e, então, aprender a explicar a verdade de Deus aos outros. Você já está com água na boca pela Palavra de Deus?

Muito antes de terem sido inventados os livros como os conhecemos, a Bíblia era uma coleção de rolos escritos em pergaminho enrolado. Imagine esses rolos separados por prateleiras numa estante, como fazemos hoje com nossas bibliotecas. As prateleiras representam as categorias nas quais os livros bíblicos podem ser divididos. É dessa maneira que nossas Bíblias são arranjadas hoje, sendo que os rolos individuais estão colocados em um livro único e grande.

À medida que nos aprofundarmos em várias passagens na seção seguinte, intitulada "Sua vez na cozinha", espero que você comece a desenvolver apetite para devorar a comida espiritual na qual nos banquetearemos. A Palavra de Deus nos promete conhecimento, compreensão e sabedoria para a vida. Será uma refeição deliciosa, mas, como Salomão disse a seu filho e como Paulo disse a Timóteo, também exigirá trabalho árduo.

Sou grato a mentores como Bob Newkirk, de Okinawa, ao prof. Hendricks, do Seminário Teológico de Dallas, a Ray Stedman, da Igreja Bíblica Península, e a muitos outros ao longo do caminho por me ensinarem a ser diligente no estudo da Palavra de Deus. A persistência que exigiram de mim tem moldado minha vida e meu ministério há mais de sessenta anos. Agora, quero passar o bastão a você. Eu o encorajo a segurá-lo firme.

Este livro o ajudará a se banquetear e ficar satisfeito à mesa das Escrituras. No processo, espero que você também aprenda a preparar refeições deliciosas para outras pessoas. Trata-se da refeição da vida, e ela merece nossos melhores esforços. Você está pronto para seguir adiante?

Sua vez na cozinha

Quando o assunto é cozinhar, não basta ler sobre o assunto ou ver outra pessoa preparando a refeição; você precisa de fato entrar na cozinha, arregaçar as mangas, pensar em quanto vai se divertir fazendo sua própria comida e, então, dedicar todo seu esforço cozinhando! O mesmo é válido quando se trata de estudar a Bíblia. Portanto, agora é hora de arregaçar as mangas de sua mente e passar algum tempo nas Escrituras por si mesmo. Aqui estão alguns exercícios para que você tente.

1. Vá ao índice de sua Bíblia. Usando a nomeação de seções apresentadas neste capítulo, divida a lista de livros e coloque a "etiqueta" correta em cada bloco (lei, história, poesia, etc.). Dessa forma, toda vez que olhar para o sumário de sua Bíblia, você se lembrará de que os livros estão arranjados de maneira temática.

2. Em sua Bíblia, releia as cinco passagens que discutimos neste capítulo:
   - Deuteronômio 6.1-9
   - Provérbios 2.1-9
   - Jeremias 4.22
   - Mateus 7.24-27
   - 2Timóteo 2.15

   Crie uma lista que contenha os mandamentos de Deus apresentados nas passagens acima. Use as mesmas palavras da Bíblia.

3. Crie outra lista dos mandamentos de Deus usando duas passagens adicionais. A primeira é Josué 1.7-9, em que Deus entrega a liderança de Israel a Josué, depois da morte de Moisés. A segunda é Esdras 7.10, em que Esdras, um escriba, sai da Babilônia e volta para Jerusalém a fim de liderar o povo.

   O que podemos aprender das Escrituras com base nessas duas passagens?

4. Existem muitas passagens das Escrituras que examinam eventos de tempos passados da história bíblica. Quando lemos sobre esses eventos demoradamente e de maneira cuidadosa, começamos a entender e a ter uma ideia da história geral da Bíblia. Leia atentamente Atos 7.1-53, em que Estêvão relembra a seus compatriotas a história de infidelidade deles. Em uma frase ou duas, resuma o que Estêvão diz sobre cada um destes personagens bíblicos:
   - Abraão
   - José
   - Moisés
   - Arão
   - Josué
   - Davi
   - Salomão

5. O aprendizado terá sido plenamente dominado quando pudermos explicar o que aprendemos a outra pessoa. Converse com um membro da família, um colega de trabalho ou um amigo próximo que possa estar interessado naquilo que você está aprendendo sobre as Escrituras. Diga a essa pessoa por que você se animou a estudar a Bíblia e por que ela se tornou tão importante para você. Escolha algumas das seções das Escrituras que você tenha lido e leia-as para essa pessoa. Explique rapidamente o que leu e, então, compartilhe *insights* que teve das questões anteriores.

2
Avaliando o alimento verdadeiro

....

A descoberta da natureza transformadora da Bíblia

Ninguém pode negar a importância da nutrição física. Nossos níveis de energia, nossa capacidade de lidar com os desafios da vida e até mesmo nossas atitudes mentais estão diretamente ligadas à ingestão de alimentos apropriados, consumidos com regularidade e em quantidades adequadas. Todos nós sabemos como é consumir uma dieta desequilibrada ou comer muito doce, engolir grandes porções de uma vez só e muito depressa ou deixar de fazer uma refeição completa. O resultado é que, invariavelmente, sofremos inúmeras consequências. Ficamos doentes ou zonzos, ou podemos ficar irritados, agressivos e até deprimidos. Às vezes, ficamos um pouco trêmulos. Na minha família, usamos a expressão "sentir fraqueza". Essa é a maneira pela qual nosso corpo nos diz que não está recebendo alimento suficiente. Uma ótima saúde exige ótima nutrição.

O mesmo é válido quando se trata de assuntos espirituais. Sem nutrição bíblica suficiente e regular, nossa vida interior começa a sofrer as consequências. Nossa alma deseja ser frequentemente alimentada, nutrida e energizada pelas Escrituras. Quando deixamos de reservar tempo para digerir comida espiritual saudável, não demora muito para que as consequências comecem a surgir... e essa não é uma visão agradável. Começamos a agir de acordo com a carne em vez de caminhar sob o controle do Espírito de Deus. Tornamo-nos rasos e egoístas, mais exigentes e menos gentis. Reagimos com impaciência, imprudência e raiva. Todos esses são sinais reveladores de má nutrição interior.

Para garantir que a alma esteja adequadamente alimentada, precisamos preparar refeições espirituais nutritivas para nós mesmos. Mas como fazemos isso? Em primeiro lugar, precisamos avaliar o que fará parte da refeição. Qual é o valor nutricional de cada ingrediente? Refeições deliciosas, servidas em restaurantes finos, nunca surgem do nada. Elas levam tempo para ser preparadas, além de exigirem enorme esforço. Qualquer refeição digna de ser ingerida começa com comida nutritiva fresca, limpa e preparada com atenção. Os *chefs* não jogam um monte de coisas na panela de qualquer maneira; em vez disso, seguem uma receita específica, dando atenção a detalhes imprescindíveis. Depois de a comida ter sido preparada adequadamente, ela é apresentada de maneira atraente e criativa. O resultado é infalível: a refeição é suculenta e os que dela desfrutam ficam satisfeitos e gratos. Há grandes chances de que todos os que saborearem a refeição voltem outras vezes.

Esse é exatamente o padrão que precisamos seguir quando se trata das Escrituras. Antes de mergulhar na Bíblia, precisamos pensar em preparação. Primeiro, precisamos considerar o valor nutricional de estudar a Palavra de Deus. Quais serão os benefícios de aprender a pesquisar as Escrituras sozinhos? Não é suficiente ter um pastor ou um professor que nos alimente uma vez por semana; precisamos ser capazes de preparar nossa própria refeição espiritual diariamente.

O anseio por satisfação mais profunda

Todos nós já passamos por momentos de pressa em que fazemos uma refeição rápida, em vez de planejar e preparar uma refeição balanceada. Mal paramos para desfrutar da comida ao engolir o alimento enquanto fazemos outra coisa. Isso pode satisfazer nossa fome por um tempo, mas fornece pouca nutrição. Um *fast-food* espiritual apresenta o mesmo problema. Uma olhada rápida em um versículo ou dois a caminho da porta não gera crescimento ou satisfação de longo prazo. Nossa comida espiritual precisa ser preparada cuidadosamente de modo que nos sustente, nos revigore e satisfaça os anseios mais profundos da alma.

Você já viveu o suficiente para dizer, como o salmista, que habitamos uma terra seca onde há pouca coisa para satisfazer o coração faminto

(Sl 63.1)? Embora nosso desejo seja mergulhar fundo nas coisas de Deus, é difícil separar tempo para fazer isso neste mundo tão apressado. Nossa tendência é correr de um evento para outro, sem dar muita atenção àquilo que aconteceu ou ao que possa acontecer, ou ao que acontecerá como resultado daquilo que estamos fazendo.

O escritor A. W. Tozer descreveu de modo apropriado essa tendência na direção da superficialidade: "Será que a inadequação de grande parte de nossa experiência espiritual não pode ser atribuída ao nosso hábito de pular pelos corredores do reino como crianças em um centro comercial, tagarelando sobre tudo, mas sem nunca parar para aprender sobre o verdadeiro valor de alguma coisa?".[1]

Você já viu pessoas assim, que só ficam na superfície da fé? Segue-se, então, uma pergunta mais incisiva e importante: você é assim? Olhando para trás, para os anos e anos desde que conheceu a Cristo, é possível mensurar alguma diferença no seu caminhar, no seu crescimento, na sua profundidade de fé? Será que, como resultado dos anos em que foi ficando mais velho, você de fato amadureceu de maneira que seja possível verificar?

Deus não quer que fiquemos apenas na superfície da vida, inseguros sobre a razão de nos sentirmos tão vazios. Ele deseja que escavemos mais fundo, para que descubramos o que ele possa estar nos dizendo em meio à nossa vida tão corrida.

Este mundo oferece uma infinidade de distração e entretenimento — muitas vezes, a ponto de ficarmos insensíveis para a necessidade de nutrição para a alma. Façamos uma pausa por um instante para refletir. Você passa seus dias procurando distração? Ou já chegou ao ponto em que decidiu pensar de maneira profunda, a fim de nutrir a alma com a verdade espiritual? Não que eu seja contra o entretenimento. Sou, porém, contra o entretenimento superficial e fútil que não nos leva a pensar com profundidade.

Perto do final do capítulo 5 de Hebreus, o autor parece frustrado... ou talvez *exasperado* seja uma maneira melhor de definir. Ele havia acabado de introduzir um assunto incomum: "a ordem de Melquisedeque". Logo de cara, se você for como a maioria das pessoas, vai pensar: "Do que se trata tudo isso?". Mas, se você tivesse vivido no primeiro século de nossa era e buscasse ativamente o crescimento espiritual, estaria ciente de tudo que se relacionava a Melquisedeque. É isso que o autor está enfatizando no versículo 11 — que seus leitores não eram exemplos de tal maturidade:

> Há muito mais que gostaríamos de dizer a esse respeito, mas são coisas difíceis de explicar, sobretudo porque vocês se tornaram displicentes acerca do que ouvem.
>
> Hebreus 5.11

O autor daquela carta esperava que seus leitores entendessem que eles não tinham dificuldade de ouvir, mas tinham dificuldade em escutar! Esse problema não diz respeito apenas aos cristãos da igreja primitiva. Será que, quando o assunto fica profundo, começamos a olhar para o relógio ou para o celular, imaginando quando o período de ensino vai acabar e poderemos voltar a nos distrair?

Em essência, o autor está dizendo: "Tenho muito mais a dizer, o que inclui várias coisas que vocês precisam saber sobre sua vida, mas ainda não posso chegar lá". Seria como descrever o processo de ressuscitação cardiopulmonar a uma criança de 3 anos de idade. É compreensível que uma criança de 3 anos não consiga compreender os pormenores de um ensinamento detalhado, mas quando alguém não compreende isso sendo adulto, é trágico.

Leia cuidadosamente o versículo seguinte:

> A esta altura, já deveriam ensinar outras pessoas, e no entanto precisam que alguém lhes ensine novamente os conceitos mais básicos da palavra de Deus. Ainda precisam de leite, e não podem ingerir alimento sólido.
>
> Hebreus 5.12

O autor dá uma indicação de que seus leitores estão caminhando com o Senhor há vários anos, como muitos de nós. É como se dissesse: "Neste momento, vocês já deveriam possuir na bagagem verdades em quantidade suficiente, a ponto de serem capazes de liderar uma classe de jovens aprendizes. Deveriam ser capazes de ajudar outras pessoas a compreender o que Deus está dizendo conforme vocês caminham pelas Escrituras. Mas a verdade é que ainda estão no berçário com os bloquinhos de montar. Ainda estão examinando o ABC da vida, em vez de entender as verdades mais profundas. Estão tão satisfeitos com o básico que empacaram em sua jornada espiritual".

Já passei por isso; eu me identifico com essas palavras. Quando Cynthia e eu éramos jovens, percebemos que teríamos nosso crescimento prejudicado se permanecêssemos na igreja que frequentávamos. Não estávamos sendo desafiados a aprender; éramos alimentados com leite, como bebês, com mamadeiras. Não éramos ensinados a preparar nossa própria refeição espiritual. Decidimos que a atitude mais sábia seria nos livrarmos da tradição da qual havíamos feito parte por toda a vida e procurarmos uma igreja onde pudéssemos ser alimentados com a nutritiva refeição da Palavra de Deus, onde fôssemos desafiados a pensar profundamente e onde começássemos a crescer na fé. Agimos assim e, uau, que diferença isso fez!

O autor de Hebreus estava preocupado com o fato de que sua audiência não havia tomado a decisão de crescer na fé. Seus ouvintes estavam dispostos a permanecer estagnados no berçário. Veja como termina o versículo 12:

> Ainda precisam de leite, e não podem ingerir alimento sólido.
>
> Hebreus 5.12

O leite é uma coisa maravilhosa quando é colocado na boca de um bebezinho recém-nascido. Conforme o pequenino o suga, nós sorrimos e pensamos: "É a coisa mais fofa do mundo!". Mas leite servido em mamadeira não é para adultos. O autor de Hebreus chega a esta eloquente conclusão: vocês não estão crescendo, e vocês mesmos são os responsáveis!

O autor continua:

> Quem se alimenta de leite ainda é criança e não sabe o que é justo.
>
> Hebreus 5.13

Não esperamos que bebês gostem de comida sólida. Afinal de contas, eles não têm dentes! Ainda não desenvolveram gosto por comida mais sofisticada. O corpo não está suficientemente desenvolvido para receber uma dieta variada. Leva tempo para cultivar um paladar maduro.

O versículo 14 explica:

> O alimento sólido é para os adultos que, pela prática constante, são capazes de distinguir entre certo e errado.
>
> Hebreus 5.14

Esta é uma das principais razões pelas quais devemos crescer: a maturidade espiritual nos capacita a distinguir entre certo e errado. Aprendemos a pensar de maneira clara e correta para determinar o que é bom e o que é ruim. Tal discernimento não é incentivado em uma sociedade "politicamente correta". Somos desencorajados até mesmo a usar palavras como *certo* e *errado*, porque a opinião de todo mundo precisa receber igual atenção. Quando somos espiritualmente maduros, porém, não precisamos aceitar esse tipo de pensamento equivocado. Por quê? Porque nossos sentidos foram treinados para reconhecer tanto o bem quanto o mal. Quando ouço alguém ensinar a Bíblia, ouço com atenção — não para criticar, mas para discernir o que estou ouvindo. Por causa dos meus anos de treinamento na Palavra de Deus, sou capaz de detectar o erro e reconhecer quando alguma coisa está incorreta. Digo isso não com orgulho, mas com total gratidão a Deus. Às vezes percebo verdades que *não* são ditas e que precisam ser faladas, e o fato de elas não serem ditas me ajuda a perceber os pontos fracos no ensinamento. Tal discernimento é produto do Espírito, que nos faz crescer em maturidade. É uma questão de disciplina pessoal e de diligência de longo prazo.

Existe uma lição importante a aprender com Hebreus 5: nem toda nutrição espiritual é igual. Leite é o ponto inicial para os bebês espirituais, mas não devemos parar aí; devemos crescer e amadurecer na fé. O resultado de tal maturidade nutricional é a capacidade de explicar as verdades básicas das Escrituras a outras pessoas. Além disso, mastigar a carne das Escrituras nos ajuda a distinguir o certo do errado e, com isso, direcionar nossa conduta. Digerir o alimento sólido da Palavra de Deus afeta diretamente nossas ações. Aprendemos não apenas a saber o que é certo, mas também a fazer o que é certo.

Se você não for capaz de nutrir sua própria alma, você é um bebê espiritual. Ainda precisa crescer. Uma das motivações mais profundas do meu coração é ajudar pessoas a amadurecer na fé. Esse desejo me inspira a estudar intensamente toda semana, porque entendo que a verdade bíblica é planejada para ajudar pessoas a se tornarem mais autossustentáveis em seu estudo das Escrituras e mais dependentes de Cristo. Minha oração constante é esta: "Guia-me, Senhor, enquanto estudo esta passagem, para que eu seja capaz de apresentá-la de uma maneira que ajude outros a se tornarem mais conscientes do valor de crescer em ti".

Adquirir sabedoria

Tendo reconhecido a importância de nos alimentarmos com comida espiritual, a seguir devemos considerar *o que* devemos comer. Para nos ajudar nisso, voltemos ao Antigo Testamento e examinemos o assunto da sabedoria. Provérbios é um livro que transborda de conselhos sobre como obter sabedoria. Analisemos o primeiro versículo do livro:

> Estes são os provérbios de Salomão, filho de Davi, rei de Israel.
>
> Provérbios 1.1

Já no primeiro versículo deparamos com seu autor: "Estes são os provérbios de Salomão". E quem foi Salomão? Ele foi "filho de Davi, rei de Israel" e escreveu a maioria dos provérbios daquele livro.

O que sabemos sobre Salomão? Temos um breve esboço literário em 1Reis 4.29-32:

> Deus concedeu a Salomão grande sabedoria e entendimento, e conhecimento tão vasto quanto a areia na beira do mar. Sua sabedoria era maior que a de todos os sábios do Oriente e de todos os sábios do Egito. Ele era mais sábio que qualquer outra pessoa, incluindo Etã, o ezraíta, e Hemã, Calcol e Darda, filhos de Maol. Sua fama se espalhou por todas as nações vizinhas. Compôs 3.000 provérbios e escreveu 1.005 canções.

Que palavras fascinantes! De acordo com as Escrituras, Salomão era tão sábio que pessoas vinham de todas as partes do mundo para aprender de sua sabedoria. Depois de ter visitado Salomão, a rainha de Sabá disse: "Não acreditava no que diziam até que cheguei aqui e vi com os próprios olhos. Aliás, não tinham me contado nem a metade! Sua sabedoria e prosperidade vão muito além do que ouvi" (1Rs 10.7).

Esse filho de Davi também foi um autor prolífico. Como vemos pelos milhares de provérbios e cânticos que escreveu, ele realmente tinha um dom. Quando Deus o levou a escrever boa parte de Provérbios, Salomão se propôs comunicar os ingredientes essenciais para a vida. O ingrediente mais essencial é a sabedoria. A propósito, nenhuma universidade do mundo oferece um curso chamado Obtenção de Sabedoria. O discernimento não é o resultado que se alcança com a conclusão de um curso. Não é uma busca acadêmica, nem é um item a ser ticado em sua lista de coisas a fazer antes de morrer. Na verdade, algumas pessoas com grande conhecimento possuem pouca sabedoria.

Em uma situação ideal, a sabedoria deveria passar dos pais para os filhos, dos avós para os pais, destes para os netos e daí para os bisnetos. A sabedoria deveria ser uma herança familiar passada adiante, conforme uma geração mais velha compartilha suas experiências de vida com os mais novos.

Aprendi algumas das coisas mais sábias com meu pai. Foi ele quem me disse: "Filho, certifique-se de ter mais atrás do balcão do que aquilo que você coloca na vitrine". Ele queria que eu tivesse mais profundidade do que as palavras que eu dizia. Meu pai tinha a habilidade de indicar verdades que apenas a sabedoria poderia ter ensinado. Ele passou um pouco delas para mim.

Salomão estava determinado a fazer diferença na vida de seu filho. Preste atenção a todas as ocorrências em que a expressão "meu filho" é usada nos três primeiros capítulos de Provérbios. Se fôssemos listar todas as ocorrências de "filho" e "filhos" nos sete primeiros capítulos, veríamos que essas expressões aparecem nada menos que dezesseis vezes. Não é surpresa que os estudiosos chamem esses capítulos de a seção "meu filho" de Provérbios. É um exemplo impressionante de sabedoria passada de uma geração para a seguinte.

A TRANSMISSÃO DE SABEDORIA NO LIVRO DE PROVÉRBIOS

Meu filho, preste atenção... (1.8)

Meu filho, se... (1.10)

Meu filho, não... (1.15)

A verdadeira sabedoria não é algo que vem de dentro de nós; ela vem de Deus. Observe Provérbios 2.6: "Pois o SENHOR concede sabedoria". A sabedoria tem sua fonte unicamente em Deus. Talvez seu pai e sua mãe não tenham passado a você a sabedoria que Deus lhes ensinou; sendo assim, como obtê-la? Encontramos a resposta em uma carta breve mas poderosa do Novo Testamento:

Se algum de vocês precisar de sabedoria, peça a nosso Deus generoso, e receberá. Ele não os repreenderá por pedirem.

Tiago 1.5

Você tem uma lista de pedidos de oração? Eu gostaria de sugerir que você colocasse este pedido bem perto do topo da lista: "Minha necessidade de sabedoria". Ore por isso. Peça sabedoria a Deus regularmente. Você pode fazer orações como estas ao longo de seu dia: "Dá-me sabedoria para enfrentar esta situação", "Ensina-me a sabedoria nesta reunião ou nesta prova", "Guia-me em sabedoria enquanto tomo esta decisão importante". Sendo bem franco, oro pedindo sabedoria quase todos os dias.

Às vezes Deus nos concede sabedoria na forma de repreensão:

A Sabedoria grita nas ruas
e levanta a voz na praça pública.
Sim, proclama nas avenidas
e anuncia em frente à porta da cidade:
"Até quando vocês, ingênuos,
insistirão em sua ingenuidade?
Até quando vocês, zombadores,
terão prazer na zombaria?
Até quando vocês, tolos,
detestarão o conhecimento?
Venham e ouçam minhas advertências;
abrirei meu coração para vocês
e os tornarei sábios.

"Muitas vezes eu os chamei, mas não
quiseram vir;
estendi-lhes a mão, mas não me deram
atenção.
Desprezaram meu conselho
e rejeitaram minha repreensão.
Por isso, rirei quando estiverem em dificuldades;
zombarei quando estiverem em apuros".

Provérbios 1.20-26

Salomão personifica a sabedoria dando-lhe voz. Ele diz que "a Sabedoria grita nas ruas" e que ela "levanta a voz na praça pública". Sua mensagem às multidões se intensifica pelas avenidas da vida. Ela implora: "Venham e ouçam minhas advertências".

Parece cruel ver a sabedoria falando com uma voz de zombaria quando alguém é assolado pelo desastre. Contudo, não é. Quando isso acontece, estamos na verdade recebendo o que merecemos! Se fomos instruídos a dar ouvidos à advertência da sabedoria, mas optamos por não fazer isso, sofreremos sérias consequências. Somos livres para viver a vida sem sabedoria. Se essa for a nossa escolha, viveremos presos nas garras das consequências. Enfrentaremos uma vida confusa e atribulada, sem jamais nos darmos conta da razão de isso estar acontecendo. Seremos testados até as últimas consequências, e nunca saberemos o motivo. Mas, se formos sensíveis à mão de Deus em nossa vida, sua sabedoria nos resgatará do pânico da ignorância. Deus abrirá nossos olhos para que entendamos que aquilo que ele oferece é uma enorme dose de bom senso por meio das repreensões.

> Ele reserva bom senso aos honestos e é escudo para os íntegros.
>
> Provérbios 2.7

O benefício de caminhar em integridade é que você começa a colher em seu caminho discernimento e estabilidade da sabedoria de Deus. Ainda mais surpreendente, você pode se tornar uma pessoa sábia, em nada diferente de Salomão. O resultado? As pessoas procurarão por você. Elas pedirão o seu conselho. Darão ouvidos às suas explicações. Prestarão atenção, mesmo quando você falar informalmente numa conversa. A sabedoria é como um ímã, que atrai outras pessoas, uma vez que elas não conseguem encontrá-la em seu próprio mundo.

Em resumo, portanto, como podemos obter sabedoria de Deus? Oramos pedindo por ela. Nós a encontramos nas repreensões da vida. Nós a colhemos como um resultado da integridade. Em Provérbios 2.1-9, essas ideias são apresentadas com grande simplicidade. Pegue uma caneta; você pode tomar nota dessas coisas durante seus momentos tranquilos na Palavra de Deus. (A diferença entre simplesmente ouvir e ler a Bíblia e de fato *estudá-la* é um papel e uma caneta.) Se você nunca escreveu em sua Bíblia antes, pode parecer estranho fazê-lo pela primeira vez. Mas a sua Bíblia não existe para ser um livro que fica guardado na prateleira; ela existe para ser uma ferramenta de transformação!

Primeiro, precisamos fazer algumas anotações na margem. Leia a passagem a seguir e prepare-se para sublinhar ou circular algumas palavras. Esse exercício adicionará nutrientes à sua dieta espiritual. Leia estes nove versículos em voz alta:

> Meu filho, preste atenção às minhas palavras
> e guarde meus mandamentos como um tesouro.
> Dê ouvidos à sabedoria
> e concentre o coração no entendimento.
> Clame por inteligência
> e peça entendimento.
> Busque-os como a prata,
> procure-os como a tesouros escondidos.
> Então entenderá o que é o temor do SENHOR
> e obterá o conhecimento de Deus.
> Pois o SENHOR concede sabedoria;
> de sua boca vêm conhecimento e entendimento.
> Ele reserva bom senso aos honestos
> e é escudo para os íntegros.
> Guarda os caminhos dos justos
> e protege seus fiéis por onde andam.
> Então você entenderá o que é certo, justo e imparcial
> e saberá o bom caminho a seguir.
>
> Provérbios 2.1-9

Nessa passagem, Salomão oferece algumas instruções específicas sobre como colher sabedoria da parte de Deus. Por favor, perceba que existem vários verbos indicando uma ação a ser realizada. Volte ao texto, identifique e marque cada um desses verbos. Todas essas instruções representam trabalho duro, disciplina e diligência. Elas dão instruções claras a quem está buscando sabedoria: se você fizer essas coisas, então receberá sabedoria.

Quais disciplinas são necessárias para que uma pessoa se torne sábia? Volte e descubra por si mesmo. Primeiro, você *presta atenção* às palavras de Deus e depois *guarda* os seus mandamentos. Você *dá ouvidos* (permanece ensinável). Você *concentra o coração* em tudo o que Deus estiver pronto a lhe ensinar.

Observe especificamente os versículos 3 e 4. Nunca participei literalmente da procura por um tesouro, mas já vi arqueólogos se esforçando, escavando a terra e a peneirando em busca de artefatos valiosos. Vi esses cientistas trabalharem por horas a fio, dia após dia, sem conseguirem fazer nenhuma descoberta significativa. Eles verificam, cavam e procuram até que, de repente, cruzam com algo de valor. Então, o que acontece? Eles colocam o artefato cuidadosamente de lado e o tratam com grande respeito enquanto o examinam. É um processo demorado, cansativo e meticuloso.

Isso explica por que a descoberta da sabedoria é tão rara. Em nosso mundo apressado e agitado, quem tem tempo para escavar sabedoria? *Confie em mim: todos nós precisamos reservar esse tempo!* Não há substituto nem melhor uso para ele. A alegria da descoberta que nos espera não tem paralelo.

Muitos anos atrás, deparei com as palavras de Robert Ballard, o homem que finalmente encontrou o grande transatlântico *Titanic* no fundo do oceano. Ele escreve sobre sua busca com estas palavras apaixonadas: "Minha primeira visão do *Titanic* durou menos de dois minutos, mas a visão completa de seu imenso casco negro se elevando do fundo do oceano permanecerá para sempre gravada em minha memória. O sonho da minha vida era encontrar esse navio imenso e, durante os últimos treze anos, essa busca me dominou por completo. Hoje, finalmente, a busca terminou".[2]

Quando enfim encontrou o navio, Ballard tirou 53.500 fotos dele. Pense em todo o dinheiro e as infindáveis horas que ele havia passado em busca do navio enquanto este repousava no fundo do Atlântico norte, ao largo da costa da província canadense da Terra Nova. Que não haja dúvida: sua descoberta foi resultado direto de sua busca diligente e meticulosa.

Histórias como essa nos inspiram a permanecer no caminho — a evitar ficar à deriva pela vida. A diligência e a disciplina de Ballard estabelecem um exemplo para a sondagem profunda das Escrituras e para a descoberta de tesouros a fim de aprimorarmos nossa caminhada com Deus.

Durante o período em que cumpri estágio pastoral sob a supervisão de Ray Stedman, em Palo Alto, na Califórnia, uma das minhas atribuições era passar algum tempo com determinada organização missionária.

Um dos homens naquele grupo havia passado mais de cinquenta anos de sua vida em países distantes, trabalhando com diferentes tribos. Ele era conhecido por sua fidelidade em oração. Eu me lembro de ficar sentado perto dele, na esperança de que um pouco daquele zelo pudesse ser transmitido a mim.

Em uma reunião, quando estávamos estudando juntos alguns salmos, olhei por cima de seu ombro e espiei sua Bíblia aberta. Seus dedos haviam passado tantas vezes pelo texto sagrado que a impressão havia literalmente sido apagada em alguns lugares! Aquele homem conhecia muito bem a sua Bíblia.

A Bíblia não entrega seus tesouros à alma preguiçosa. Não podemos folheá-la com pressa todos os dias e presumir que a nutrição espiritual acontecerá automaticamente. Isso seria como esperar que uma refeição de três pratos aparecesse em sua mesa sem que você tivesse ido ao mercado nem feito qualquer preparativo. Sendo assim, o que devemos fazer para mudar? Para começar, recomendo desligar a televisão, silenciar o celular e passar pelo menos trinta minutos por dia sozinho e quieto, lendo sua Bíblia. Está disposto a encarar um desafio? Reserve 45 minutos todos os dias durante um mês para estudar a Palavra de Deus, e eu lhe garanto que você não será o mesmo. Devemos examinar as Escrituras voluntariamente, com regularidade e persistência. Devemos buscar a sabedoria de Deus como buscaríamos prata preciosa ou artefatos de valor inestimável.

Depois dos quatro primeiros versículos de Provérbios 2, Salomão muda sua instrução, da busca para a descoberta. Essas declarações são iniciadas pelo advérbio *então*.

> Então entenderá o que é o temor do SENHOR
> e obterá o conhecimento de Deus.
>
> Provérbios 2.5

Leia novamente. Tanto "o temor do SENHOR" quanto "o conhecimento de Deus" se tornam as nossas descobertas. Esses são os resultados magníficos por se obter sabedoria!

Examinemos as duas frases. Primeiro, entendamos o que é o temor do Senhor. A palavra *temor* significa que teremos medo do Senhor? Não. Significa que teremos profundo respeito por ele, ao mesmo tempo que desenvolveremos aversão crescente pelo pecado. Nosso temor de Deus resultará em levá-lo a sério. Com isso, surgirá uma forte aversão pelas coisas que nos afastam do Senhor.

INSTRUÇÕES ACERCA DA SABEDORIA	
Como obter sabedoria ***Provérbios 2.1-4***	**Resultados da sabedoria** ***Provérbios 2.5-9***
Prestar atenção (v. 1)	Entendimento (v. 5)
Guardar (v. 1)	Conhecimento (v. 5)
Dar ouvidos (v. 2)	Bom senso (v. 7)
Concentrar o coração (v. 2)	Proteção (v. 7)
Clamar (v. 3)	Discernimento (v. 9)
Buscar (v. 4)	
Procurar (v. 4)	

Segundo, descobriremos o conhecimento de Deus. Isso não significa que todo o conhecimento de Deus será derramado sobre nosso cérebro de uma vez, mas sim que ele permitirá que tenhamos contato com seu vasto reservatório de conhecimento e nos capacitará a fazer uso dele. Isso não é magnífico?

Voltemos ao versículo 6. Deus é aquele que dá sabedoria. Nos versículos 1 a 5, somos instruídos a buscar a sabedoria e então, no versículo 6, aprendemos que Deus está disposto a concedê-la. Passamos de pessoas que buscam sabedoria para receptores da sabedoria. E não apenas sabedoria, mas também conhecimento e discernimento. Que tesouro repleto de qualidades valiosas!

Por que a nutrição é importante

Ao longo das Escrituras, encontramos palavras de exortação sobre descobrirmos a verdade por nós mesmos — assim como razões pelas quais isso é importante.

Já na velhice, Pedro, o pescador transformado em apóstolo, escreveu sobre a importância de não apenas termos fé, mas também de sabermos por que cremos:

Quem é que desejará lhes fazer mal se vocês se dedicarem a fazer o bem? Mas, ainda que sofram por fazer o que é certo, vocês serão abençoados. Portanto, não se preocupem e não tenham medo de ameaças. Em vez disso, consagrem a Cristo como o Senhor de sua vida. E, se alguém lhes perguntar a respeito de sua esperança, estejam sempre preparados para explicá-la.

1Pedro 3.13-15

Os destinatários da carta de Pedro estavam feridos. Eles haviam sido expulsos de seus lares e se sentiam desanimados. Pedro escreveu com o objetivo de incentivá-los, para que não ficassem intimidados nem temessem a crescente perseguição. É interessante perceber que, no meio de suas palavras de encorajamento, Pedro tenha insistido com eles para que estivessem preparados para explicar as razões por trás de seu destemor e esperança. Seu pedido não era apenas uma reflexão tardia nem um comentário informal voltado exclusivamente para os cristãos do primeiro século. Essa verdade é aplicável para todos os tempos, incluindo os dias de hoje.

Analisemos mais detalhadamente o conselho de Pedro. O verbo "explicar" vem do grego *apologia*, que inclui a ideia de uma justificativa formal, uma defesa. Acrescentamos essa ideia ao versículo: "E, se alguém lhes perguntar a respeito de sua esperança, estejam sempre preparados para *fazer uma justificativa formal* ou *apresentar uma defesa*". Fazemos isso não apenas em favor de nós mesmos, mas também por aqueles que estão ao nosso redor e que talvez não sejam capazes de se defender.

Diante disso, por que é importante apresentar uma defesa em favor da verdade de Deus? Seis razões me vêm à mente:

1. *Uma fé fundamentada tem substância.* Os que não conhecem a verdade se fundamentam em emoções, na tradição e na opinião de outros. Todas essas fontes carecem de substância. Isso fica especialmente evidente quando nos vemos sob ataque e o teste de nossa fé se intensifica.
2. *Uma fé fundamentada nos estabiliza durante os momentos de provação.* Se soubermos o que a Palavra de Deus ensina, não abandonaremos a fé quando a vida ameaçar desmoronar. Somos estabilizados pelo conhecimento que temos da verdade.

3. *Uma fé fundamentada nos capacita a lidar com a Bíblia de maneira cuidadosa e precisa.* Quando conhecemos os temas gerais das Escrituras, somos capazes de nos apoiar na verdade bíblica, em vez de dizermos o que pensamos que as pessoas querem ouvir.
4. *Uma fé fundamentada nos prepara para detectar e confrontar o erro.* Quando uma passagem das Escrituras nos é apresentada, não precisamos que alguém a interprete para nós. Quando amadurecemos em nosso conhecimento espiritual, podemos confrontar o erro com dados das próprias Escrituras.
5. *Uma fé fundamentada nos torna confiantes.* O conhecimento das Escrituras nos mantém seguros e firmes em nossa caminhada com Cristo. Tal confiança fica mais forte com o passar do tempo. Quanto mais aprendermos dele, mais confiantes nele nos tornaremos.
6. *Uma fé fundamentada elimina nossos medos e remove superstições antigas.* Isso é muito importante, uma vez que enfrentamos a tentação quase constante de agirmos movidos pelo medo, e não pela fé.

Outra razão por que é importante escavarmos fundo na Palavra de Deus é que essa prática nos manterá alicerçados na fé. Paulo oferece uma advertência necessária em 1Timóteo 4. Esse capítulo foi escrito para Timóteo, que pastoreava a igreja em Éfeso. Os primeiros seis versículos têm a ver com o que se deve esperar em tempos futuros — o que certamente inclui nosso próprio tempo.

> O Espírito afirma claramente que nos últimos tempos alguns se desviarão da fé, dando ouvidos a espíritos enganadores e a ensinamentos de demônios, que vêm de indivíduos hipócritas e mentirosos, cuja consciência está morta.
>
> Tais pessoas afirmam que é errado se casar e proíbem que se comam certos alimentos, que Deus criou para serem recebidos com ação de graças pelos que são fiéis e conhecedores da verdade. Porque tudo que Deus fez é bom, não devemos rejeitar nada, mas a tudo receber com ação de graças, pois sabemos que se torna aceitável pela palavra de Deus e pela oração.
>
> Se você explicar estas coisas aos irmãos, será um bom servo de Cristo Jesus, nutrido pela mensagem da fé e pelo bom ensino que tem seguido.
>
> 1Timóteo 4.1-6

Quando as Escrituras dizem que "o Espírito afirma claramente", significa que isso é um fato! Por qual outra razão a Palavra de Deus usaria esse termo? A passagem continua e diz que "nos últimos tempos alguns se desviarão da fé". O termo grego traduzido como "desviar" é *apostatize*, que significa "abandonar, afastar-se, deixar". Quando as coisas ficarem difíceis, alguns deixarão a fé.

Por que alguém desejaria deixar a única fé verdadeira? Por que desertar? Paulo diz de modo direto: tais pessoas darão ouvidos "a espíritos enganadores e a ensinamentos de demônios". O maligno é a fonte sustentadora dessa informação falsa. Seus demônios apresentarão ideias que virão do abismo, mas esses ensinamentos serão comunicados de maneira convincente como se fossem verdade. Como? A resposta vem no versículo 2: por meio de hipócritas e mentirosos cuja consciência foi cauterizada como com ferro em brasa. Eles não têm escrúpulos de liderar outras pessoas para o reino do engano e convencem ouvintes ingênuos com seu carisma e encanto.

O Espírito nos adverte explicitamente em relação a esses indivíduos no versículo 3: "Tais pessoas afirmam que é errado se casar e proíbem que se comam certos alimentos". A despeito de tamanha oposição nos últimos dias, não encontramos o apóstolo Paulo roendo as unhas e se sentindo ansioso, pensando: "Como vou sobreviver a isso tudo?". Em vez disso, ele calmamente refuta tais enganadores. O versículo 3 diz: "Deus criou [esses alimentos] para serem recebidos com ação de graças pelos que são fiéis e conhecedores da verdade". A verdade é: Deus criou o casamento e Deus nos deu alimentos para comer. Fomos libertos de uma lei que nos impedia de comer certos alimentos. Assim, não há o que temer. É por isso que Paulo está tão calmo — ele está firmemente apegado à doutrina das Escrituras. Ele sabe onde se apoia. Sua alma foi nutrida pela sabedoria de Deus. Com confiança tranquila, ele escreve: "Porque tudo que Deus fez é bom, não devemos rejeitar nada, mas a tudo receber com ação de graças, pois sabemos que se torna aceitável pela palavra de Deus e pela oração" (v. 4-5).

Como podemos manter a calma em meio a tempos tão atribulados? Paulo estava calmo porque sabia onde se fundamentava. De fato, o apóstolo oferece ajuda a todos os ministros do evangelho por meio de suas palavras a Timóteo: "Se você explicar estas coisas aos irmãos, será um bom servo de Cristo Jesus". Ele continua a instruir Timóteo de que ele precisa ser "nutrido pela mensagem da fé e pelo bom ensino que tem seguido" (v. 6).

Não é um bom conselho? Em certo sentido, essas palavras são uma descrição de atribuições feita por Deus para todos os verdadeiros ministros do evangelho. Devemos nos alimentar constantemente no Livro de Deus. Quanto mais fizermos o trabalho de Deus, maior a necessidade de sermos nutridos. Quanto maior a pressão, maiores os problemas; quanto mais a agenda se encher de outras coisas, mais devemos devorar esse Livro, de modo que nossa mente esteja afiada com a verdade e, assim, possamos transmiti-la, tanto individualmente quanto em público. Mais importante, somente assim seremos capazes de viver o que ela diz.

Encerro este capítulo com alguns comentários pessoais. Eu não poderia ser mais grato pelo seminário onde estudei, pelos mentores que amavam a verdade e me ajudaram a cultivá-la, por pais que me ensinaram o caminho, por minha esposa que me ajudou a completar o seminário e pelas congregações que foram pacientes comigo enquanto eu formava a minha teologia, até o momento presente. Sou grato pelas muitas pessoas que participaram de meu processo de aprendizado e crescimento.

Em que ponto desse processo você se encontra? Está recebendo nutrição suficiente? Sente-se à vontade na cozinha para preparar refeições espirituais para si mesmo? Está ajudando outros a também prepararem suas refeições? Espero que sim!

Gosto muito de como C. S. Lewis coloca a questão: "Se o mundo inteiro fosse cristão, poderia não fazer diferença se o mundo inteiro não fosse instruído. Porém, tal como é, uma vida cultural existirá fora da Igreja, quer exista dentro dela, quer não. Ser ignorante e simplório hoje — não ser capaz de enfrentar os inimigos em seu próprio terreno — seria como depor as armas e trair nossos irmãos não instruídos que, abaixo de Deus, não têm outra defesa senão a nós contra os ataques intelectuais dos pagãos". E acrescenta: "A boa filosofia precisa existir, ainda que, se não por outra razão, porque a má filosofia precisa de resposta. O intelecto ponderado deve trabalhar não apenas contra o intelecto ponderado que está do outro lado, mas contra os obscuros misticismos pagãos que negam totalmente o intelecto. Acima de tudo, talvez, precisamos de conhecimento íntimo do passado".[3]

A Bíblia está repleta de nutrientes saudáveis. Chegar até eles exige de nós que mudemos nossa dieta e passemos tempo suficiente na preparação. Insisto que você assuma um novo papel, como seu próprio *chef* — aquele que é especializado em refeições nutritivas. Entre na cozinha e comece a cozinhar hoje! O próximo capítulo o ajudará a saber por onde começar.

Sua vez na cozinha

Antes de começarmos a preparar uma refeição boa e saudável, precisamos pensar no que será servido e em quão nutritivo será. A seguir você verá seis exercícios para experimentar durante seu aprendizado sobre o valor nutricional de investir tempo na Palavra de Deus.

1. Leia Provérbios 1—2 em sua Bíblia. Crie uma tabela com duas colunas: "O que devo fazer?" e "Qual será o resultado?". À medida que ler atentamente a passagem, anote na primeira coluna cada ação que você é instruído a realizar. Depois, anote o resultado na segunda coluna. Veja um exemplo para cada coluna:

SABEDORIA PRÁTICA	
O que devo fazer?	***Qual será o resultado?***
Obter discernimento (Pv. 1.4)	Viver em paz (1.33)

O que esses dois primeiros capítulos de Provérbios ensinam?

2. Leia Oseias 4.1-4. Faça uma lista de todas as coisas que o povo de Israel fez e que desagradaram a Deus.

   Em seguida, leia Amós 8.11-13.

   O que acontece, no caso de uma crise de fome, quando as pessoas não dão ouvidos às palavras do Senhor?

   De acordo com esses dois profetas menores, o que podemos aprender sobre a importância de se aprofundar na Palavra de Deus?

3. Por vezes, os personagens da Bíblia podem nos ajudar a entender a mensagem de Deus para nós. Tendo considerado o valor da sabedoria, somos capazes de aprender muito mais ao examinar a vida de Salomão, o homem mais sábio que já viveu. Leia 1Reis 3—4 com atenção — e em voz alta — para descobrir detalhes do caráter do rei.

   Escreva um parágrafo breve descrevendo Salomão. Inclua o papel que a sabedoria desempenhou na vida dele, conforme descrito na passagem mencionada. Depois, anote três coisas que podemos aprender com Salomão sobre a sabedoria.

4. A Palavra de Deus exerce efeito profundo sobre indivíduos, assim como sobre nações. Leia a história do rei Josias quando ele encontra o Livro da Lei (uma expressão que se refere às Escrituras) em 2Reis 22.1-20.

   Anote cinco resultados alcançados pelo povo dos dias de Josias depois de ter encontrado e ouvido a Palavra de Deus. O que isso nos ensina sobre as Escrituras?

5. Outra maneira de aprender sobre a importância da Palavra de Deus é ver o que acontece quando as pessoas fazem mau uso dela. Em 2Pedro 2.21-22, o apóstolo escreve sobre o dano causado por falsos

mestres. Leia essa passagem e então repasse os versículos mais uma vez com bastante atenção.

Faça uma lista das consequências negativas resultante do ensino dos falsos mestres (Pedro menciona pelo menos dez).

6. Jesus prega o mais importante sermão de todos os tempos: o Sermão do Monte (registrado em Mateus 5—7). No final, ele lembra a seus ouvintes que a Palavra de Deus exige uma resposta. Leia a parábola que Jesus conta a respeito da sabedoria (Mt 7.24-25) e então faça um retrato dela em sua mente.

   De acordo com o que Jesus ensinou, qual é o resultado da sabedoria?

SEGUNDO ESTÁGIO

Preparar a refeição

3
Escolhendo a receita

....

A busca pelos tesouros das Escrituras

Qualquer *chef* lhe dirá que existe uma maneira certa e uma maneira errada de preparar uma refeição. Embora haja espaço para um estilo criativo e preferências por certos sabores, existem processos claros usados para combinar todos os ingredientes e transformá-los em algo delicioso. A receita é a chave. Boas receitas são essenciais para obter boas refeições.

Precisamos seguir as mesmas orientações ao estudar as Escrituras. Nossa receita se baseará no processo que moldou tanto meu estudo pessoal da Palavra de Deus quanto meus mais de cinquenta anos de ensino da Bíblia a outras pessoas. Verdade seja dita, não se passa uma semana sem que eu use um ou mais dos princípios que vou transmitir a você. Nenhuma das minhas mensagens é preparada sem que primeiramente eu percorra esse processo. Quando percebi quão transformador esse ensinamento poderia ser, entendi que não tinha o direito de não o transmitir àqueles que desejam estudar a Palavra de Deus por conta própria.

Este capítulo fornece uma receita geral sobre como buscar os tesouros das Escrituras. Cada um dos próximos quatro capítulos explicará detalhadamente o método de quatro partes, com vários exemplos, de modo que você mesmo possa colocar os passos em prática. É importante que você siga os quatro capítulos em ordem, pois os passos estão em sequência.

Não há nada pior que pular um passo importante numa receita e só então perceber que seu jantar foi um enorme fracasso.

Nossa receita

O primeiro passo de nosso método de estudo bíblico é observar o texto das Escrituras. Em seguida, examinaremos o significado do texto para nos ajudar a interpretar o que observamos. Depois, aprenderemos a importância de comparar ou correlacionar as verdades das Escrituras. Por fim, descobriremos como aplicar a sabedoria das Escrituras.

Quatro palavras descrevem esse processo: *observação, interpretação, correlação* e *aplicação*. Sugiro que memorize esses passos. A Bíblia não foi concedida apenas para satisfazer curiosidades sem propósito. Não foi escrita para que o clero tivesse alguma coisa a dizer aos domingos. A Bíblia foi preservada para transformar a vida de pessoas como você e eu. Nunca se esqueça disso!

NOSSO MÉTODO DE ESTUDO BÍBLICO

Observação
Interpretação
Correlação
Aplicação

Em leituras casuais da Bíblia, perde-se facilmente muitas de suas pedras preciosas. Como resultado, na maioria dos lares a Bíblia não é nada além de um livro grosso que repousa em uma prateleira ou uma mesa, acumulando poeira. É por isso que um humorista a chamou de "o livro de mesa de centro mais vendido do mundo". Mas seu propósito nunca foi o de ser usada como peça de decoração. Seu propósito nunca foi levar os outros a dizer: "Uau, veja só que Bíblia linda!". Ela nos foi dada para ser colocada em uso. Uma Bíblia que está servindo a seu propósito se mostra bem gasta e bastante marcada. Suas páginas começarão a se desgastar, como o livro de receitas favoritas da família. Quanto mais estudarmos a Palavra de Deus, mais familiarizados com ela nos tornaremos. E, assim que aprendermos a nos aprofundar nela sozinhos, seremos capazes de ensinar outros a fazer o mesmo.

Um estudo curto de um salmo longo

É bom lembrar que a própria Bíblia declara a importância de aprender e ensinar as Escrituras. Comecemos nossa pesquisa desse tema bíblico analisando o salmo 119. À medida que abrimos caminho por esse salmo, descobrimos rapidamente que se trata de um capítulo longo. De fato, é o mais longo dos salmos: possui 176 versículos.

O salmo se encaixa naquilo que os israelitas chamavam de *saltério*, uma palavra antiga que significa "hinário". Era desse livro, os Salmos, que os israelitas cantavam músicas e aprendiam seus hinos. Aliás, a palavra *salmos* significa simplesmente "cânticos" ou "canções". Cada cântico de determinada extensão possui estrofes, e cada estrofe possui vários versos.

Num primeiro olhar, o salmo 119 pode parecer um pouco estranho. Logo no início, ele apresenta uma palavra que não é familiar: *Álef*. Oito versículos adiante, no versículo 9, deparamos com a palavra *Bêt*. Ela é seguida por *Guímel*, no versículo 17. O que são esses títulos? Eles representam as primeiras três letras do alfabeto hebraico, que é composto por 22 letras. O salmo 119 é um lindo poema em forma de acróstico que contém 22 estrofes, cada uma delas começando com uma letra do alfabeto hebraico em sequência. Cada estrofe possui oito versos, cada um começando com a mesma letra hebraica. Oito versículos por estrofe multiplicados por 22 estrofes nos levam aos 176 versículos.

Por que o salmista teria tido o trabalho de escrever um acróstico como esse, com palavras tão cuidadosamente escolhidas? Os hebreus da antiguidade amavam o Senhor e levavam as Escrituras muito a sério. Uma vez que poucas pessoas tinham a habilidade de ler os rolos, elas basicamente ouviam a Palavra de Deus lida em voz alta e memorizavam grandes porções das Escrituras. Acrósticos como esse serviam de auxílio para a memorização das Escrituras por parte de crianças em fase de crescimento. Quando estavam na escola, aprendendo o alfabeto, elas conseguiam ver cada uma das letras do alfabeto ao ler o salmo 119. Séculos atrás, na Alemanha, esse salmo foi citado como "o abecedário de ouro do cristão sobre louvor, amor, poder e uso da Palavra de Deus".[1] Pense neste salmo como um ABC do amor de Deus, do poder de Deus, do louvor a Deus e da importância da Palavra na vida diária.

SALMO 119 COMO UM POEMA ACRÓSTICO	
Alfabeto hebraico	**Salmo 119**
Álef (א)	Versículos 1-8
Bêt (ב)	Versículos 9-16
Guímel (ג)	Versículos 17-24
Dálet (ד)	Versículos 25-32
He (ה)	Versículos 33-40
Vav (ו)	Versículos 41-48
Zain (ז)	Versículos 49-56
Hêt (ח)	Versículos 57-64
Tét (ט)	Versículos 65-72
Iode (י)	Versículos 73-80
Kaf (כ)	Versículos 81-88
Lâmed (ל)	Versículos 89-96
Mem (מ)	Versículos 97-104
Nun (נ)	Versículos 105-112
Sâmeq (ס)	Versículos 113-120
Áin (ע)	Versículos 121-128
Pê (פ)	Versículos 129-136
Tsade (צ)	Versículos 137-144
Qof (ק)	Versículos 145-152
Rêsh (ר)	Versículos 153-160
Shin (ש)	Versículos 161-168
Tau (ת)	Versículos 169-176

Outro fato interessante sobre o salmo 119 é que quase todos os versículos são direcionados ao próprio Senhor. Com exceção dos versículos 1 a 3 e do versículo 115, todos os demais são escritos para Deus e sobre ele. Analisemos os três primeiros versículos:

Como são felizes os íntegros,
os que seguem a lei do SENHOR!
Como são felizes os que obedecem a seus preceitos
e o buscam de todo o coração.
Não praticam o mal
e andam em seus caminhos.

Esses versículos fazem uma declaração sobre aqueles que levam Deus a sério. Quando chegamos ao versículo 4, deparamos com uma pista reveladora de que o salmo é uma oração. Ele é direcionado ao Senhor, começando com a palavra *tu*.

Tu nos encarregaste
  de seguir fielmente tuas ordens.
Meu grande desejo é que minhas ações
  sempre reflitam teus decretos.
Então não ficarei envergonhado
  quando meditar em todos os teus mandamentos.
Eu te darei graças por viver corretamente,
  à medida que aprender teus justos estatutos.

Nós nos dirigimos ao Senhor de maneira similar todas as vezes que oramos. Começamos com palavras como "Querido Deus", "Querido Pai celestial, nós te agradecemos", "Nós te louvamos, Pai, por tua graça", "Hoje colocamos diante de ti as nossas necessidades" etc. Esse é um salmo excelente para ser usado como guia de oração.

Outro tema de destaque nesse salmo é a Palavra de Deus. Praticamente não há nele um versículo que não faça referência à Palavra de Deus por meio de um de seus vários sinônimos. Veja novamente o versículo 1: "A lei do SENHOR" é um sinônimo para a Palavra de Deus. O versículo 2 usa a expressão "seus preceitos", outro sinônimo para as Escrituras. "Tuas ordens" no versículo 4 e "teus mandamentos" no versículo 6 são claras referências à Palavra de Deus. Gosto muito da expressão usada para a Palavra de Deus no versículo 7: "justos estatutos".

Conforme continuamos a leitura, observamos quão intencional é o salmista na exaltação da Palavra de Deus:

Como pode o jovem se manter puro?
  Obedecendo à tua palavra.
De todo o meu coração te busquei;
  não permitas que eu me desvie de teus mandamentos.
Guardei tua palavra em meu coração,
  para não pecar contra ti.
Eu te louvo, ó SENHOR;
  ensina-me teus decretos.

Recitei em voz alta
todos os estatutos que nos deste.
Alegrei-me com o caminho apontado por teus preceitos
tanto quanto com muitas riquezas.
Meditarei em tuas ordens
e refletirei sobre teus caminhos.
Terei prazer em teus decretos
e não me esquecerei de tua palavra.

Salmos 119.9-16

Enquanto o versículo 9 destaca a obediência às Escrituras, o versículo 11 mostra a importância de conhecer e memorizar a Palavra de Deus. No versículo 12, lemos sobre "teus decretos", e o versículo 13 se refere a "estatutos". Os versículos 14 e 15 descrevem "teus preceitos" e "teus caminhos". Seguindo assim por todos os 176 versículos, descobrimos diversos termos relacionados à Palavra de Deus. O salmista está arrebatado em louvor a Deus por transmitir sua Palavra ao povo.

Permita-me acrescentar aqui que fazer tais observações exigirá tempo. Lembre-se do que tenho enfatizado: exigem-se disciplina e diligência quando preparamos nossas próprias refeições com base na Bíblia, do mesmo modo que tempo e esforço são necessários quando preparamos refeições. É por isso que a indústria de *fast-food* está em alta. Nossa filha mais velha nos diz, em tom de brincadeira, que quando seus filhos (nossos netos) eram pequenos ela dizia: "Muito bem, crianças, o jantar está pronto" e, ao ouvirem isso, todos entravam no carro para irem a um restaurante. Essa é a maneira mais rápida e fácil. Preparar a própria refeição é uma história completamente diferente.

Pense nisto. Primeiro, você precisa fazer a lista de compras. Isso significa que tem de levar em conta qual será o menu. Você considera o que é nutritivo, o que tem condições de comprar e também a variedade de alimentos. Depois de encontrar e comprar tudo, você chega em casa e enfrenta a tarefa da preparação. É preciso descascar, limpar, picar, cozinhar, assar, grelhar ou fritar o que quer que você tenha escolhido comer. (Aqui no Texas, fritamos a maioria das nossas refeições!) Se não aprender esses passos, você comerá algo que outra pessoa preparou.

É por essa mesma razão que algumas pessoas continuam biblicamente analfabetas. Os que não aprendem a preparar as próprias refeições retiradas das Escrituras simplesmente não sabem o que a Palavra de Deus tem a dizer. Nossa alma anseia por mais alimento do que apenas aquele que recebemos por uma hora nas manhãs de domingo.

Por que dar tanta importância à preparação das próprias refeições? Pare e pense. E se um dia você não tiver permissão de ter uma Bíblia? E se um dia estiver vivendo atrás das grades porque o governo foi deposto e os novos líderes declararam que é ilegal possuir uma Bíblia? Nessa situação extrema, como você sobreviverá alimentando-se de comida espiritual? A partir do estudo prévio, do seu próprio aprendizado e de sua memorização das Escrituras. E eu lhe digo que, se estiver estudando neste exato momento, você será uma presença inestimável naquela prisão. Você será um dos poucos que conhecem as Escrituras.

É impressionante constatar o que acontece quando alguma dor séria nos invade o coração. Uma alma sábia escreveu: "A dor finca a bandeira da verdade na fortaleza de uma alma rebelde".[2] É espantoso ver quão maleável nosso coração pode se tornar quando passamos por grande necessidade. A verdade espiritual nos sustenta nas piores circunstâncias.

Meu desejo é equipá-lo com aquilo de que você precisa para preparar e, então, cozinhar as próprias refeições. Se acaso nos encontrarmos no futuro e você disser: "Tenho de lhe contar sobre a refeição que acabei de preparar por conta própria", ninguém ficará mais animado por você do que eu! À medida que se entregar ao trabalho do estudo bíblico pessoal, você estará crescendo — tornando-se um adulto espiritual.

As condições do coração

Tenho algumas sugestões adicionais antes de você começar. Em primeiro lugar, é essencial que você examine certas condições do seu coração a fim de que possa realizar o próprio trabalho nas Escrituras.

1. *O primeiro pré-requisito é a integridade pessoal.* Volte para o primeiro versículo do nosso salmo: "Como são felizes os íntegros, os que seguem a lei do SENHOR!". Existe um axioma antigo, porém verdadeiro, que costumo repetir para mim mesmo: "O pecado o afasta da Palavra de Deus, ou a Palavra de Deus o afasta do pecado". Para colher verdade do Livro da Verdade, precisamos de um coração puro. Para entender as Escrituras, precisamos conhecer o Senhor e

seguir pelo caminho da pureza diária. Integridade e pureza caminham de mãos dadas.

2. *Você também precisa de disposição — um desejo pessoal de seguir o Senhor.* Veja o que o salmista diz no segundo versículo: "Como são felizes os que obedecem a seus preceitos e o buscam de todo o coração". Com base em minha experiência ao longo desses muitos anos, posso lhe dizer que, quando abro as Escrituras, mal posso esperar para mergulhar nelas. Por quê? Porque cultivei a disposição de deixar que as ondas da Palavra de Deus me cubram por inteiro! Gosto muito de estar perto de pessoas com essa disposição. Quando ficamos motivados em estudar a Palavra de Deus, tal entusiasmo é contagioso e começa a atingir outros.
3. *O terceiro item essencial para o estudo das Escrituras é a paixão.* Você precisa ter paixão por procurar as pedras preciosas da verdade. O final do versículo 2 declara que os que obedecem à Palavra de Deus "o buscam de todo o coração". Essa não é uma busca casual! Devemos buscar a verdade tal como um apaixonado busca o objeto de seu amor.
4. *Outra condição necessária é o tempo.* Você precisará de tempo para orar, meditar e transformar os pensamentos de sua mente. O versículo 11 declara: "Guardei tua palavra em meu coração", e o versículo 12 pede ao Senhor que ensine seus decretos. Nenhuma dessas coisas acontece da noite para o dia; precisamos investir tempo para fazer que elas aconteçam.

Portanto, as condições essenciais do coração incluem: (1) viver em pureza, (2) estar disposto a seguir o Senhor, (3) buscar a verdade apaixonadamente e (4) investir tempo na Palavra de Deus.

Ferramentas úteis para o estudo

Tendo encontrado essas condições do coração, precisaremos de algumas ferramentas. Assim como a preparação de alimentos necessita dos potes e das panelas adequados, seremos mais eficientes em nosso estudo da Bíblia se tivermos o equipamento apropriado.

1. *Você precisa de uma Bíblia.* Especificamente, é necessário ter uma Bíblia que esteja em uma tradução que você compreenda. Recomendo

muito uma Bíblia de estudo com notas de rodapé. A Bíblia que uso para estudo tem as notas, mas a que uso para pregar não tem. Certifique-se de que sua Bíblia proporcione fácil leitura. É bom que ela também tenha algum espaço nas margens para que você possa fazer anotações. Também é importante que você tenha a sua própria Bíblia. Embora Cynthia e eu por vezes usemos a Bíblia um do outro quando estamos procurando um versículo juntos, usamos o próprio exemplar quando estamos estudando, de modo que possamos fazer anotações e observações pessoais.

2. *Você precisa de um dicionário.* Toda casa deve ter um dicionário. Deixe-me acrescentar uma coisa: você também precisa de um dicionário *bíblico*. Pessoalmente, uso o *Dicionário Bíblico Unger*.[3] Fui aluno do autor, Merrill F. Unger, quando aprendi hebraico no Seminário Teológico de Dallas. Você pode escolher outro dicionário bíblico ou até mesmo dicionários bíblicos *on-line*. Apenas tenha certeza de usar um que seja de leitura fácil. Esse recurso identificará lugares e nomes da Bíblia e explicará palavras que talvez não sejam familiares em nosso contexto atual. As palavras são importantes — elas formam os blocos de construção do pensamento espiritual. O significado de uma palavra tem tudo a ver com o significado da frase. E o significado da frase tem tudo a ver com o parágrafo no qual ela está inserida. Mantenha um dicionário à mão para garantir que as verdades espirituais mais profundas não se percam.

EXEMPLO DE VERBETE EM DICIONÁRIO BÍBLICO

Servo

Na Bíblia, os servos normalmente eram escravos, o que significa que eram propriedade de outras pessoas. Tanto o Antigo quanto o Novo Testamento tratam da proteção e do tratamento justo dos escravos, além de admoestarem os escravos a obedecer a seus senhores. No Antigo Testamento, Jesus é profetizado como o *Servo* do Senhor. Esse título foi uma antecipação do pertencimento perfeito e da obediência de Cristo ao Pai.

3. *Você precisa de uma concordância bíblica.* Uma concordância é uma lista alfabética contendo todas as palavras da Bíblia. Se quiser encontrar a palavra *integridade* nas Escrituras, poderá procurá-la em uma

concordância. Na letra *i* você encontrará *integridade* e verá uma lista das ocorrências dessa palavra na Bíblia. Isso talvez não pareça muito importante para você agora, mas, à medida que se aprofundar no estudo da Bíblia, uma concordância será um recurso inestimável. Você desejará saber o que a Bíblia diz sobre qualquer tópico ou assunto que estiver estudando. Tenha em mente que será preciso ter uma concordância que combine com a versão bíblica que você usa, a fim de garantir que as palavras correspondam com exatidão.

EXEMPLO DE VERBETE DE CONCORDÂNCIA

Integridade

2Samuel 22.26

1Reis 9.4

1Crônicas 29.17

2Crônicas 19.7

Jó 2.3, 9; 27.5; 31.6

Salmos 18.25; 25.21; 26.1; 26.11; 101.2

Provérbios 10.9; 11.5,20; 20.7

1Timóteo 3.8

Tito 2.7

4. *Por fim, você precisa de um bom conjunto de mapas.* Procure nas últimas páginas de sua Bíblia e talvez você encontre mapas. Se o seu exemplar não tiver mapas nas últimas páginas, recomendo enfaticamente que procure um mapa bíblico ou que acesse um *on-line*. Em geral, uma boa Bíblia de estudo tem de dez a quinze mapas no final. É bom ter um mapa atual da terra de Israel, para que você possa entender onde estão as localidades correspondentes hoje. Esta é uma lista de mapas que serão úteis durante seu estudo: um mapa dos territórios ocupados pelos patriarcas do passado; um mapa do êxodo, a saída do Egito; um mapa que cubra a vida de Jesus; e um mapa das viagens de Paulo. Em seu estudo, para compreender melhor o contexto, você verá muitas vezes que precisa se familiarizar com a geografia de determinado relato. Uma vez que alguns lugares mencionados nas Escrituras têm nomes similares, um mapa o ajudará a encontrar os lugares, e um dicionário bíblico explicará a diferença entre eles.

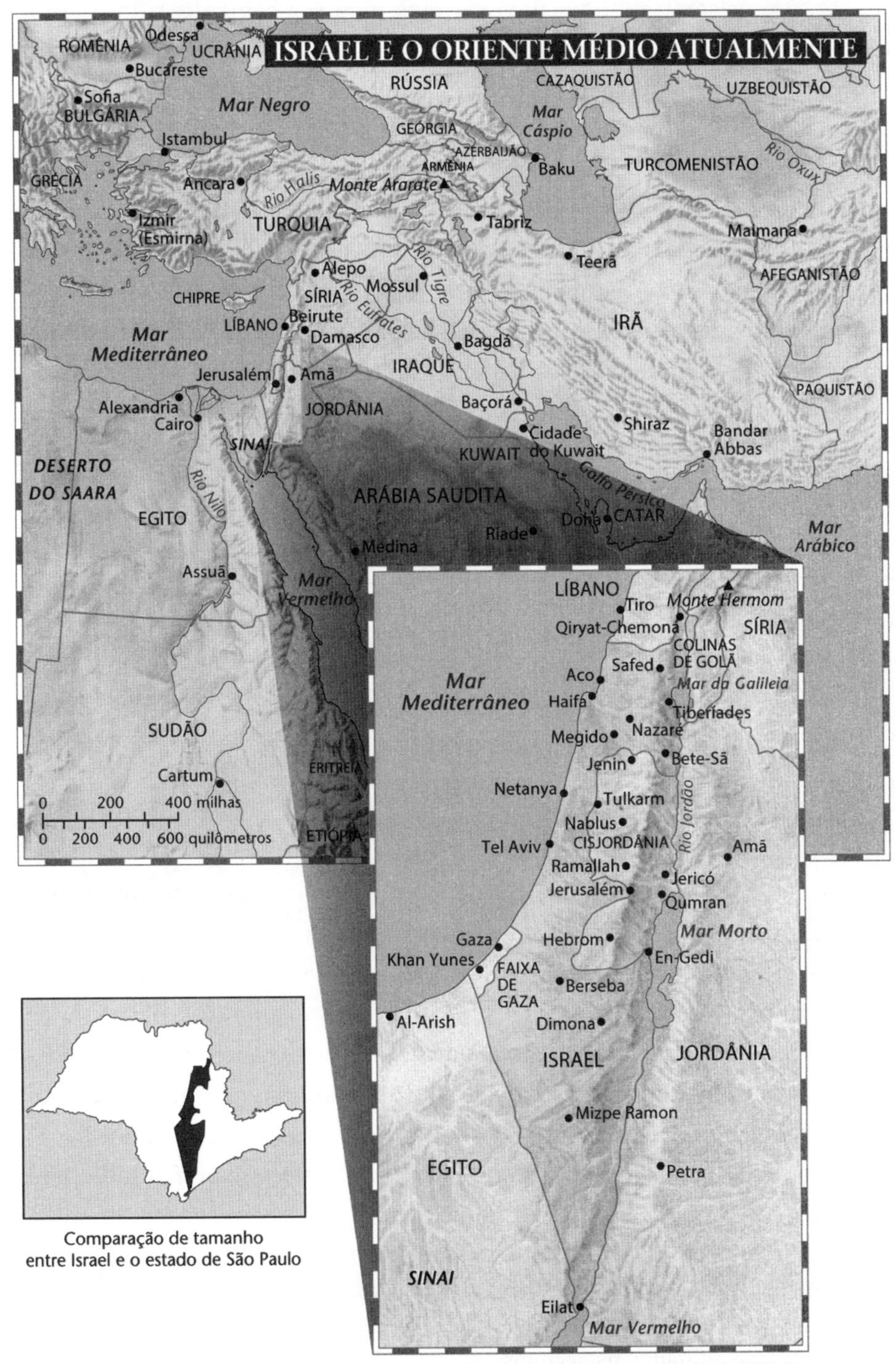

Comparação de tamanho entre Israel e o estado de São Paulo

Você precisará dos utensílios corretos para ser bem-sucedido na preparação de suas refeições. Talvez eu deva mencionar também que, assim como um cozinheiro precisa de um lugar para criar os pratos, você precisa de um lugar para estudar. Talvez você não tenha um lugar grande — não há problema. Talvez não tenha um canto silencioso. Mas você realmente precisa de um lugar onde possa afastar-se das distrações e estudar. Conheço um homem que faz seus estudos no carro porque é o único lugar tranquilo que ele conseguiu encontrar.

Quando eu era criança, minha mãe fazia a maior parte de seus estudos no único banheiro que tínhamos na casa. Costumávamos bater na porta dizendo: "Mamãe, você já acabou?". Ela saía com sua Bíblia debaixo de um dos braços e um dicionário debaixo do outro. Eu dizia: "Mamãe, tenha dó!", e ela respondia: "Não há outro lugar tão quieto onde eu possa ficar sozinha e ter um lugar para sentar!".

Seja onde for que você escolha estudar, mantenha suas ferramentas de estudo por perto. Você pode manter próximos sua Bíblia, seu dicionário, seu dicionário bíblico, sua concordância e seus mapas ou atlas bíblico, de modo que tudo de que você precisa para ir fundo na Palavra de Deus esteja ao alcance de suas mãos.

Promessas pessoais de Deus

Uma das alegrias imediatas que encontramos ao nos aprofundarmos nas Escrituras é que Deus fala diretamente conosco. Há promessas na Bíblia — promessas pessoais que podemos reivindicar como consequência por aprendermos as Escrituras. Essa é uma das partes mais empolgantes de fazer o próprio estudo. Deus nos prometeu certos benefícios como resultado de conhecermos sua Palavra. À medida que você se derramar sobre as Escrituras, levando isso a sério, Deus o abençoará de maneira especial. Ao estudar o Livro dele, você estará se preparando para a vida.

Veja uma promessa pessoal pela qual somos convidados a clamar:

> Meu grande desejo é que minhas ações
> sempre reflitam teus decretos.

Então não ficarei envergonhado
  quando meditar em todos os teus mandamentos.

Salmos 119.5-6

Note a palavra *decretos* na passagem acima — outro sinônimo da Palavra de Deus. Conseguiu captar essa grande promessa? Quando vivemos de acordo com a Bíblia, somos libertos da vergonha. Algumas pessoas vivem em uma caverna de vergonha. Há poucos inimigos da alma piores que a vergonha; ela nos mantém presos em culpa e desespero. No entanto, quanto mais conhecemos a Palavra de Deus, mais liberdade experimentamos. Deus nos livrará das terríveis e irritantes algemas da vergonha. Que promessa!

Analisemos um pouco mais esse salmo magnífico:

Como eu amo a tua lei;
  penso nela o dia todo!
Teus mandamentos me fazem mais sábio que meus inimigos,
  pois sempre me guiam.
Sim, tenho mais prudência que meus mestres,
  pois vivo a meditar em teus preceitos.
Tenho mais entendimento que os anciãos,
  pois obedeço às tuas ordens.
Recuso-me a andar em todo caminho mau,
  a fim de obedecer à tua palavra.
Não me afastei de teus estatutos,
  pois tu me ensinaste bem.
Como são doces as tuas palavras;
  são mais doces que o mel!
Tuas ordens me dão discernimento;
  por isso odeio todo caminho falso.
Tua palavra é lâmpada para meus pés
  e luz para meu caminho.

Salmos 119.97-105

O salmista expressa três promessas maravilhosas em sequência. A primeira delas está no versículo 98: "Teus mandamentos me fazem mais sábio que meus inimigos". A promessa aqui é que teremos mais sabedoria que aqueles que nos espreitam e dizem palavras horríveis contra nós. Ao levar a Palavra de Deus a sério, obtemos sabedoria sobre nossos inimigos, o que nos capacitará a superar a intimidação e a ameaça da presença deles em nossa vida. Que promessa!

Leia o versículo 99 para conhecer a segunda promessa: "Sim, tenho mais prudência que meus mestres". Não apenas teremos sabedoria maior que nossos inimigos, como também teremos mais prudência que nossos mestres. Isso não necessariamente tem a ver com intelecto ou conhecimento; tem a ver com o fato de Deus nos dar o filtro das Escrituras para reconhecermos se as coisas são verdadeiras. Você terá mais discernimento que seus professores ou supervisores, e não será zombado por ninguém que procure derrubar a sua fé. Você será capaz de se manter firme. Deus promete nos dar prudência para a vida!

O versículo seguinte nos apresenta a terceira promessa: "Tenho mais entendimento que os anciãos". Isso significa exatamente o que está escrito. Você não precisa esperar até que tenha 60, 70 ou 80 anos para alcançar sabedoria; você pode obtê-la antes de envelhecer. Se você se tornar um estudante das Escrituras aos 30 anos, no que se refere a entendimento, você estará à frente de pessoas que são décadas mais velhas. Veja uma pérola de sabedoria encontrada no livro de Jó:

> Nem sempre os de mais idade são sábios;
> às vezes, os velhos não entendem o que é justo.
>
> Jó 32.9

Ao dedicar-se às Escrituras por si mesmo, você começará a colher juízo. Você alcançará sabedoria, bem como prudência e compreensão. Nossa tendência é usar essas palavras como sinônimas, mas elas não são a mesma coisa. *Sabedoria* é a capacidade de ver a vida à maneira de Deus. *Prudência* é a capacidade de ver através das circunstâncias imediatas e aparentes. *Compreensão* é a bênção maior: é a capacidade de reagir à vida de maneira correta. Conforme alcançamos sabedoria e prudência, a compreensão resultante nos permite lidar com a vida de maneira que honra a Deus. À medida que começamos a fazer um estudo da Palavra de Deus e a aprender dela, somos equipados com esses benefícios magníficos.

BENEFÍCIOS DE ESTUDAR A PALAVRA DE DEUS

Sabedoria: a capacidade de olhar para a vida à maneira de Deus
Prudência: a capacidade de enxergar através das circunstâncias da vida
Entendimento: a capacidade de reagir à vida da maneira correta

Aprenda a mastigar e engolir as Escrituras

Uma vez que aprendemos a preparar as próprias refeições, nos sentamos para comer e podemos saborear as verdades de Deus. Existem pelo menos cinco maneiras de colocar a Palavra de Deus em nosso interior.

1. *Ouvindo.* Começamos a consumir as Escrituras ao ouvi-las. Ouvir o que a Palavra de Deus diz é a maneira mais simples e comum de aprender sobre a Bíblia. Também é o método menos interativo de captar a verdade. Veja este versículo: "Tenho prazer em teus preceitos; eles me dão conselhos sábios" (Sl 119.24). Quando você se compromete com o ensino da Palavra de Deus, está aprendendo o que será para você um futuro agradável. Lemos em Salmos 119.130: "O ensinamento de tua palavra esclarece, e até os ingênuos entendem". O apóstolo Paulo confirma essa ideia em sua carta aos Romanos: "A fé vem por ouvir, isto é, por ouvir as boas-novas a respeito de Cristo" (Rm 10.17). Começamos a compreender as Escrituras à medida que ouvimos a mensagem escrita de Deus.
2. *Lendo.* Em segundo lugar, nós a lemos. A Bíblia não é um conglomerado de palavras misteriosas e complexas amarradas umas às outras; é um livro cheio de frases que você é capaz de ler. E é dessas frases e desses parágrafos que você pode aprender a viver de modo diferente. Você é capaz de aprender a lidar com pessoas difíceis de conviver. Consegue aprender a enfrentar a ameaça do divórcio sem ser consumido pela amargura. Pode ser guiado e fortalecido durante o sofrimento. É capaz de manter a firmeza quando receber o laudo daquele exame de ressonância magnética. A Bíblia o fortalecerá porque você a está ouvindo e lendo por si mesmo. Considere Salmos 119.18: "Abre meus olhos, para que eu veja as maravilhas de tua lei". Nunca subestime as maravilhas decorrentes da leitura das Escrituras.

3. *Estudando.* Outra maneira de se nutrir das Escrituras é por meio do estudo. Existe uma diferença entre ouvir, ler e estudar. Este último método implica o uso dos seus dedos e o envolvimento do seu cérebro. Anos atrás, aprendi com o que disse Dawson Trotman, o fundador do ministério Navigators: "Os pensamentos se desembaraçam quando passam pelos lábios e pelos dedos". Meus pensamentos embaraçados em relação a lutas, perdas, desapontamentos, desânimo e a vida em geral podem ser ordenados se eu conversar sobre eles. Eles se tornarão ainda mais claros se eu conversar com alguém que se envolva na discussão comigo ou se eu os escrever em meu diário.

   Muitos anos atrás, deparei com as seguintes palavras de Sir Francis Bacon: "A leitura torna um homem completo; a palestra, um homem preparado; e a escrita, um homem preciso". Processar por meio da escrita ajuda a clarear os pensamentos. Você pode tomar nota de perguntas que lhe vêm à mente durante a leitura. Pode registrar observações ou anotar uma referência a outra seção das Escrituras que queira examinar. Conforme estuda, você encontra perguntas sobre circunstâncias, contexto e geografia que não são facilmente respondidas. Sua leitura também pode disparar conexões com sua própria vida. Escreva essas anotações enquanto abre caminho pelas Escrituras, de modo que possa se aprofundar nelas mais tarde. O estudo verdadeiro envolve papel e caneta.
4. *Memorizando.* Você de fato começa a se nutrir das Escrituras ao memorizar versículos bíblicos. Acha que não consegue? Bem, você sabe qual é o seu endereço? Sabe qual é o seu *e-mail*? E o número do seu celular? Já memorizou o caminho para o trabalho? É claro que sim! Portanto, pare de dizer a si mesmo que não consegue memorizar. Nós memorizamos tudo que acreditamos ser digno do esforço. Quando o salmista diz: "Recitei em voz alta todos os estatutos que nos deste" (Sl 119.13), ele está na verdade dizendo: "Tenho me dedicado a memorizar versículos dos pergaminhos".

   Quando começar a guardar a Palavra de Deus em seu coração como um tesouro, você descobrirá que a luz invade as trevas ao seu redor. A Palavra memorizada funcionará como escudo contra os perigos à sua volta. Selada em seus lábios, a Palavra de Deus o resgatará do desespero. Memorizar as Escrituras transforma desânimo em coragem. À medida que ouvir, ler e estudar a Palavra de Deus, haverá certos versículos que você desejará memorizar. Conheci pessoas que haviam decorado centenas de versículos das Escrituras. Quando eu lhes perguntava: "Como você fez isso?", sem exceção elas respondiam: "Um versículo por vez". Primeiro, você lê o versículo diversas vezes. Talvez prefira escrevê-lo em um cartão e depois levá-lo consigo. Pode colocá-lo ao lado da tela do computador ou sobre o painel do carro. Pode grudá-lo na geladeira ou na pia da cozinha, para que consiga memorizá-lo enquanto realiza suas tarefas.

Minha mãe era mestre em memorização das Escrituras e me fez vários desafios enquanto eu crescia. Se havia uma coisa de que eu precisava naquela época era um desafio. Ela disse: "Vou lhe propor uma coisa, filho. Para cada versículo que você aprender, eu aprenderei dois". E eu pensei: "Tudo bem, mãe... Vou memorizar mais que você". Eu memorizava seis versículos, e ela me surpreendia memorizando doze. Eu memorizava um capítulo, e ela memorizava dois. Eu memorizava vários capítulos, e ela memorizava um livro inteiro. Hoje sou profundamente grato por ela ter me desafiado a memorizar as Escrituras. Usei cada versículo decorado, e cada versículo que eu não havia memorizado, e do qual precisei mais tarde, me trazia arrependimento. Portanto, quero desafiá-lo agora da mesma maneira que minha mãe me desafiou: você será eternamente grato pelas seções da Palavra de Deus que ficarem guardadas no seu coração.

5. *Meditando.* Por último, absorveremos as Escrituras ao meditar nelas. Salmos 119.15 declara: "Meditarei em tuas ordens e refletirei sobre teus caminhos". Isto é meditação: reservar tempo para refletir sobre a Palavra de Deus e deixar que ela invada nosso coração. O versículo 23 confirma o compromisso do salmista de se saturar da Palavra de Deus: "Até os príncipes se reúnem e falam contra mim, mas eu meditarei em teus decretos".

Não preciso me preocupar com o que as pessoas dizem contra mim. Por que eu me preocuparia com essas coisas? Elas estão nas mãos de Deus. Como sei disso? Porque já mastiguei a Palavra de Deus. Já a misturei com a mente que Deus me deu. A meditação nos ajuda a dormir à noite, e é uma maneira maravilhosa de acordar pela manhã.

MANEIRAS DE INGERIR A PALAVRA DE DEUS

1. Ouvir a Palavra de Deus.
2. Ler a Bíblia.
3. Estudar as Escrituras.
4. Memorizar versículos.
5. Meditar diariamente.

Os princípios da nossa receita

Analisemos a receita básica que precisamos seguir conforme levamos a sério a ideia de preparar as próprias refeições. Existem quatro passos fundamentais:

1. *Observação.* A observação responde à pergunta: "O que a Bíblia diz?". É o processo de entender o que a Bíblia de fato está dizendo. Nesse ponto, você não está respondendo a perguntas nem adicionando algo por meio da imaginação. Está apenas lendo as palavras impressas na página. A observação consiste em ler cuidadosamente a Bíblia e pensar sobre o que ela diz. Analisaremos em detalhes no próximo capítulo.
2. *Interpretação.* Interpretar é descobrir o que a Bíblia quer dizer. Cada versículo da Bíblia significa alguma coisa e, quando um versículo está ligado a outros, existe um significado ainda mais profundo. Neste livro você aprenderá algumas técnicas de interpretação. Você não precisará confiar nas minhas interpretações — poderá fazê-lo por si só. Examinaremos esse processo no capítulo 5.
3. *Correlação.* A correlação é a comparação de um versículo das Escrituras com outro. Essa é uma das razões pelas quais você precisará de uma concordância. Quando percebemos que o salmo 119 e o terceiro capítulo de 2Timóteo fazem declarações similares sobre a Palavra de Deus, o significado fica mais claro que nunca. E as palavras de 2Timóteo 3 dão nova vida a Josué 1.8 quando esses versículos são sintetizados. Aprenderemos como fazer isso no capítulo 6.
4. *Aplicação.* Chamo de aplicação o benefício maior do estudo bíblico. Enquanto a correlação é a percepção do que a Bíblia diz em outro

ponto sobre determinado tópico, a aplicação consiste em colocar a Bíblia em uso na vida diária: nas decisões, nas dificuldades, nas finanças, nos relacionamentos, no lar e na família, nas perdas e nos ganhos, na liderança, no perdão — em todas essas áreas e em milhares de outras. Abordaremos esse processo no capítulo 7.

É fácil ter como garantido o acesso que temos hoje à Bíblia. Mas, em diversos momentos da história — e em alguns países atualmente —, as pessoas deram a vida para preservar a Palavra de Deus. Mesmo na Inglaterra, houve um tempo em que a Bíblia ficava acorrentada ao púlpito e era manuseada apenas pelo clero. As Escrituras estavam em latim, e era contra a lei traduzir a Bíblia para o idioma das pessoas comuns.

Em meio a essa repressão à Palavra de Deus, surgiu um herói chamado William Tyndale, um dos primeiros reformadores ingleses, que viveu de 1494 a 1536. Ele ficou perturbado com a enorme ignorância que as pessoas ao seu redor tinham das Escrituras. Sabia que seria impossível mudar esse quadro se as Escrituras não fossem "colocadas abertamente diante de seus olhos e em sua língua materna".[4] A impressão do primeiro Novo Testamento em inglês saiu da gráfica em 1525, muito embora isso violasse a lei. Uma batida policial interrompeu o trabalho, e Tyndale teve de continuar seu trabalho de tradução da Bíblia em segredo. Ele o concluiu no ano seguinte e, então, começou a escrever comentários sobre os livros tanto do Antigo quanto do Novo Testamento.

A produção de Tyndale era impressionante, sobretudo se considerarmos os empecilhos que enfrentou: um naufrágio, a perda dos manuscritos, perseguição de agentes secretos, confisco da impressora pela polícia e traição por parte de amigos. A despeito de todos esses desafios, ele estava determinado a colocar a Palavra de Deus no idioma do povo. Sua tradução era lúcida, nítida, concisa e, acima de tudo, atraente para pessoas simples e práticas. Sua obra literária, porém, nunca foi respeitada ou reconhecida pela elite de sua época.

Em 1535, Tyndale foi capturado perto da cidade de Bruxelas e levado para a prisão. No ano seguinte, foi morto por estrangulamento, e seu corpo foi queimado até virar cinzas. O pensamento da elite religiosa era: "Livremo-nos de Tyndale e assim nos livraremos dessa Bíblia em inglês".

Hoje, ao contrário disso, aquele que está morto ainda fala. A Bíblia inglesa existe porque William Tyndale deu a vida por ela. Ah, como ele valorizava a verdade de Deus! O mínimo que podemos fazer é aprender sobre ela.

Nosso aprendizado começa com a disciplina de seguir uma receita. O processo de quatro passos ajudará a impedir o erro em nosso entendimento. Com preparação adequada e aplicação cuidadosa, saborearemos as Escrituras. Você está pronto para dar o primeiro passo?

Sua vez na cozinha

Uma vez que estamos comparando nosso estudo da Bíblia com o preparo de uma refeição, agora é hora de entrar na cozinha e começar a cozinhar! Veja a seguir seis exercícios que ajudarão a aplicar o que acabou de ler. Quero incentivar você a dedicar seus melhores esforços em cada um deles.

1. Reserve tempo para ler cuidadosamente Salmos 119.1-40. Faça uma lista de tudo que o salmo diz a respeito da Palavra de Deus. (Lembre-se de que a Palavra de Deus também pode ser chamada de mandamentos, lei, preceitos, decretos etc.) Por exemplo: "Pessoas que obedecem à Palavra de Deus são felizes" (v. 1); "Deus nos encarregou de seguir suas ordens" (v. 4).

2. Que tipo de sabedoria uma pessoa pode obter por estudar a Palavra de Deus? Use Salmos 119.97-105 como guia.

3. Vimos neste capítulo um exemplo de concordância com a palavra *integridade*. Consulte cada uma das passagens a seguir e destaque o chamado de Deus aos cristãos em cada uma delas:

   - 2Samuel 22.26
   - 1Reis 9.4
   - 1Crônicas 29.17
   - 2Crônicas 19.7
   - Jó 2.3,9; 27.5; 31.6
   - Salmos 18.25; 25.21; 26.1,11; 101.2
   - Provérbios 10.9; 11.5,20; 20.7

- 1Timóteo 3.8
- Tito 2.7

O que esses versículos ensinam sobre o chamado bíblico a uma vida de integridade?

4. Como aprendemos neste capítulo, é bom procurar palavras no dicionário, e especialmente em um dicionário bíblico, a fim de saber o significado delas. Observe a palavra-chave *sacrifício* no seguinte versículo:

> É nisto que consiste o amor: não em que tenhamos amado a Deus, mas em que ele nos amou e enviou seu Filho como *sacrifício* para o perdão de nossos pecados.
>
> 1João 4.10

Procure esse versículo em sua Bíblia e preste atenção à palavra que é usada. Algumas traduções usam o termo "propiciação". Procure a palavra usada em sua Bíblia em um dicionário bíblico. Como ela é definida?

Uma vez que tiver compreendido o significado dessa importante palavra que descreve o que Jesus realizou na cruz, descubra como a mesma palavra é usada em Romanos 3.25, Hebreus 2.17 e 1João 2.2. Descreva sacrifício (ou o termo usado em sua Bíblia) com suas próprias palavras, usando essas passagens como auxílio.

5. Um mapa pode ajudá-lo a entender o contexto das histórias e dos eventos das Escrituras. Use o mapa nas páginas finais de sua Bíblia ou procure mapas bíblicos *on-line*. Localize o que apresenta a rota da segunda viagem missionária de Paulo. Siga essa longa jornada com o dedo e, ao fazê-lo, tome nota dos lugares por onde o apóstolo passou. Você verá que, ao chegar em Trôade, na parte ocidental da Ásia Menor (no país conhecido hoje como Turquia), ele precisou seguir de barco pelo mar Egeu até alcançar a Europa. Uma vez ali, foi para Filipos e então para a Grécia, onde continuou a pregar o evangelho. Mais uma vez, trace o restante de sua extensa segunda viagem com o dedo. Faça uma pausa e imagine quão dura essa jornada deve ter sido no primeiro século ao cobrir tamanha distância.

6. Leia e estude Salmos 19.7-11. Quais promessas são dadas ao cristão que estuda a Palavra de Deus? Faça uma lista de pelo menos cinco descrições da Palavra de Deus com base nesses versículos.

Dica adicional: Faça um inventário dos recursos que você tem à sua disposição, usando a lista fornecida neste capítulo. Quais auxílios de sua Bíblia (mapas, índices, concordância etc.) podem ser úteis para seu estudo pessoal? Onde você pode encontrar informação adicional sobre a Bíblia (concordância, dicionário, recursos *on-line*)? Reúna todos esses recursos e crie um espaço físico para estudo com distrações limitadas. Faça desse espaço o lugar aonde você pode ir diariamente para se banquetear na Palavra de Deus.

4
Lendo os ingredientes

....

A observação do texto

Você já se surpreendeu diante de alguém que consegue enxergar uma coisa em uma passagem das Escrituras que você leu repetidas vezes, mas que nunca percebeu por si mesmo? É como a pessoa que foi até a última prateleira da despensa e pegou algo que você não tinha reparado que estava ali. Às vezes pode ser desanimador; em outros momentos, isso simplesmente o deixa curioso. Se você pudesse pegar o mesmo ingrediente, então poderia preparar sua própria refeição *gourmet*. Assim como conhecer os ingredientes é um pré-requisito para preparar uma refeição deliciosa, ler cuidadosamente as Escrituras é uma exigência para o entendimento apropriado. Minha esperança é que este capítulo o ajude a dar o primeiro passo no sentido de alcançar o entendimento *na prateleira de cima* por conta própria. Na verdade, não é complicado; é preciso apenas um pouco de intencionalidade.

Embora eu entenda que a maioria das pessoas não é chamada para pregar ou para se colocar perante um grupo de pessoas e ensinar as Escrituras, todos nós que fazemos parte da família de Deus devemos ser bons estudantes de sua Palavra. O primeiro passo para conhecer a Bíblia é a *observação*, que discutimos no capítulo anterior. Por meio da observação, descobrimos o que a Bíblia diz. Essa parte do processo é absolutamente fundamental. Passo por esse processo todas as vezes que preparo uma mensagem, uma lição ou um sermão. Sim, *todas* as vezes. Em 100% das oportunidades eu começo exatamente desse ponto. Meu objetivo é descobrir o que está escrito nos versículos que estou estudando.

Muitas pessoas têm tamanha pressa para entender o significado da Bíblia que passam correndo, ignorando o passo da observação, e pulam direto para a interpretação. Essa é uma fórmula garantida para o erro. É o equivalente a misturar aleatoriamente ingredientes antes de se certificar de que tem os ingredientes certos, nas quantidades certas. Você nunca chegará à interpretação correta das Escrituras se não reservar tempo para descobrir o que a Bíblia está dizendo. Entender o que foi escrito deve sempre preceder a descoberta do que aquilo significa. A interpretação depende de observação ampla e cuidadosa.

Aperfeiçoe suas habilidades de observação

O que quero dizer quando me refiro à observação? Observar significa esquadrinhar algo, olhando de maneira cuidadosa e com atenção a todos os detalhes. O detetive Sherlock Holmes foi perspicaz e correto ao chamar a atenção de seu colega: "Watson, você vê, mas não observa".

OBSERVAÇÃO

Esquadrinhar algo, olhando de maneira cuidadosa e com atenção aos detalhes.

Louis Agassiz, conhecido naturalista da Universidade Harvard no século 19, ouviu a seguinte pergunta: "Qual foi sua maior contribuição no campo da ciência?". Agassiz não hesitou: "Ensinei homens e mulheres a observar". O falecido treinador de beisebol Yogi Berra acertou ao dizer: "Você pode observar muita coisa enquanto observa". Isso nos faz rir, mas a verdade é que costumamos falhar em nossa observação — e, quando isso acontece, nós nos arrependemos.

Pude compreender isso quando deparei com o relato verídico de Sir William Osler, o ilustre professor de medicina da Universidade Oxford, na primeira parte do século 20. Rigoroso quanto aos detalhes, ele estava determinado a fazer que seus alunos de medicina se tornassem observadores perspicazes desde o início de seu aprendizado. Em certa ocasião, perante uma classe cheia de alunos jovens e de olhos arregalados, ele colocou sobre sua mesa um pequeno jarro contendo urina humana. Disse: "Quero que todos vocês entendam que este jarro contém uma amostra para análise. Muitas vezes, por meio do paladar, é possível determinar a doença da qual o paciente sofre".

Casando a ação com as palavras, ele enfiou o dedo na urina e depois colocou um dedo na boca. Então, continuou: "Agora, vou passar o jarro entre vocês e peço que façam exatamente o que eu fiz".

Todos os estudantes se encolheram nas carteiras. O jarro seguiu seu caminho de uma fileira a outra, aluno por aluno, conforme cada um colocava um dedo cautelosamente na urina e então, com bravura, testava seu conteúdo com um franzir de testa. Quando o recipiente enfim retornou à mesa do professor, ele disse: "Vocês agora entenderão o que eu quero dizer quando falo sobre detalhes. Se fossem bons observadores, teriam visto que eu coloquei o dedo *indicador* no jarro, mas coloquei o dedo *médio* na boca".[1]

A maioria das pessoas se considera melhor observadora do que de fato é. Eis um teste rápido para avaliar suas habilidades de observação:

TESTE DE OBSERVAÇÃO

---

1. Pense em seu cônjuge ou em um amigo próximo. O que exatamente essa pessoa estava vestindo na última vez que você se encontrou com ela?
2. Qual dessas frases não aparece nas notas de real: "Deus seja louvado", "Nós confiamos em Deus" ou "Banco Central do Brasil"? Você manuseia essas cédulas há muito tempo. Com certeza sabe a resposta!
3. Qual a quilometragem mostrada no hodômetro do seu carro hoje?
4. Sua mãe é destra ou canhota? E seu pai?
5. Moisés era filho único ou teve irmãos? Se teve irmãos, quantos eram? (A resposta está em Números 26.59.)
6. Quem viajou com Paulo em sua primeira viagem missionária? (A resposta está em Atos 13.1-3.)
7. Todos os quatro evangelhos (Mateus, Marcos, Lucas e João) trazem um registro do nascimento de Jesus? Se não, quais não falam sobre o nascimento? (A resposta está em Mateus 1 e Lucas 1.)
8. Qual é a marca do fogão da sua cozinha?
9. Quantos passos levam ao segundo andar da sua casa? Se você mora em uma casa térrea, quantos são degraus da escada do seu escritório ou da entrada da sua igreja?
10. Qual é o limite de velocidade da via principal mais próxima da sua casa?

Quantas perguntas você acertou? Não raro, nos surpreendemos diante de quantas coisas não sabemos quando as observamos mais atentamente.

Pensei recentemente em minhas habilidades de observação quando estava dirigindo por uma zona escolar a trinta quilômetros por hora. Percebi que não sabia em que momento a luz amarela de sinalização começa a piscar, indicando que entrei em uma zona escolar. Também não sabia quando ela desliga, embora passe por ali centenas de vezes por mês. Eu a vejo, mas nunca observei os detalhes. Desde então, comecei a notar que esse intervalo muda de uma zona escolar para outra.

Preciso explicar a diferença entre observação e interpretação. Observar não é o mesmo que interpretar. Cynthia e eu temos dentro do armário da cozinha uma caixa com remédios e receitas. As seguintes palavras aparecem na etiqueta de identificação da caixa: "Tomar com comida". São três palavras simples, mas o que exatamente elas querem dizer? Quando olhei para elas ontem, imaginei como uma pessoa de outra cultura poderia interpretar aquela declaração. Devo pegar o comprimido, parti-lo, misturá-lo com a comida e engoli-lo enquanto estiver fazendo uma refeição? É isso o que a etiqueta diz! Mas, por experiência, sabemos que devemos tomar o remédio depois de uma refeição, de modo que o estômago não fique irritado por causa da química ingerida. Esse é o significado do que está escrito na caixa, mas não é o que a etiqueta diz. O que ele *significa* corresponde à interpretação. Determinar o que diz o texto das Escrituras é um passo anterior a determinar o que ele significa.

Analisemos o exemplo de Salmos 119.18. Coloque seus óculos de intelectual, uma vez que isso exigirá concentração.

> Abre meus olhos,
> para que eu veja as maravilhas de tua lei.

Se eu fosse fazer uma lista de observações, a primeira coisa que eu anotaria é que esse versículo é uma oração. De fato, conforme já aprendemos, com exceção de apenas quatro versículos, todo o salmo 119 representa uma oração. Perceba que essa oração contém um pedido específico. Você o encontrou? Leia novamente: "Abre meus olhos". Mas o salmista não está dizendo: "Permite que eu veja a imagem das letras que formam as palavras". Em vez disso, ele está dizendo: "Permite que eu veja as verdades maravilhosas que há aqui".

O salmista estava reconhecendo que as verdades de Deus são maravilhosas. Assim, seu pedido foi específico: "Senhor, venho a ti hoje e peço-te que abras meus olhos à medida que eu desenrolo o rolo". Era assim que a Bíblia era lida nos dias do salmista. Ele, com efeito, estava dizendo: "Quando eu chegar a uma seção da lei e a ler, quero saber de maneira plena e completa o que ela está dizendo". Eu chamaria essa oração de um mandato à observação atenta da Palavra de Deus.

Observação das palavras e do contexto

Observar o texto cuidadosamente é sempre o primeiro passo para estudar as Escrituras. Com a oração do salmista nos lábios, voltemos ao versículo ao qual dedicaremos boa parte do tempo neste capítulo: Atos 1.8. Se você não está familiarizado com sua Bíblia, seria bom dar uma olhada no encarte deste livro e notar que existem 39 livros no Antigo Testamento e 27 livros no Novo Testamento. O Novo Testamento começa com os quatro evangelhos: Mateus, Marcos, Lucas e João. Depois do livro de João, a segunda prateleira mostra o livro de Atos. Esse livro histórico registra as ações daqueles que levaram a mensagem de Jesus a pessoas do mundo conhecido da época. É por isso que o livro também é conhecido pelo nome de Atos dos Apóstolos.

Localize o versículo 8 no primeiro capítulo de Atos — um dos versículos mais familiares e importantes do Novo Testamento.

> Mas receberão poder quando o Espírito Santo descer sobre vocês, e serão minhas testemunhas em Jerusalém, em toda a Judéia e Samaria, e até os confins da terra.
>
> Atos 1.8, NVI

Neste ponto, simplesmente lemos as palavras do versículo, mas ainda não as observamos com muita atenção. Isso exige tempo e esforço.

Portanto, mergulhemos juntos. Inicialmente, prestamos atenção nos termos. Damos plena atenção a cada palavra. Esqueça o tempo que isso leva — concentre-se em uma palavra por vez e leia cada palavra como se o fizesse pela primeira vez. Pode ser tentador dizer a si mesmo: "Ah, eu já li esse versículo inúmeras vezes. Estou completamente familiarizado com ele; preciso partir para algo mais interessante". Se fizer isso, porém, perderá alguns dos tesouros enterrados sob a superfície. Ainda que acredite que conhece o versículo, existe muita coisa aqui que você nunca observou de fato. Você precisa se disciplinar a fim de examinar cada palavra detalhadamente.

A primeira palavra é *mas*. Sabemos que esse termo representa um contraste ou uma mudança de direção. Se estivermos seguindo numa direção e surgir um "mas", ele indica uma curva. "Mas" significa que há uma alteração no que estava acontecendo para algo que passará a acontecer.

O que esse termo de contraste nos leva a fazer? Ele exige que olhemos para trás e determinemos qual é a contraposição. Esse processo se chama verificação do contexto. Entendemos melhor um versículo das Escrituras quando captamos seu contexto, ou seja, quando nos familiarizamos com os versículos ao redor. Cada versículo se encaixa dentro de um contexto mais amplo. Assim, em torno do versículo em questão, há algo acontecendo que leva o autor a começar sua declaração com um *mas*. Para determinar o contexto, voltemos ao versículo 4, em que Jesus está sentado com seus discípulos:

> Certa ocasião, enquanto comia com eles, deu-lhes esta ordem: "Não saiam de Jerusalém, mas esperem pela promessa de meu Pai, da qual lhes falei. Pois João batizou com água, mas dentro de poucos dias vocês serão batizados com o Espírito Santo".
>
> Então os que estavam reunidos lhe perguntaram: "Senhor, é neste tempo que vais restaurar o reino a Israel?"
>
> Ele lhes respondeu: "Não lhes compete saber os tempos ou as datas que o Pai estabeleceu pela sua própria autoridade. Mas...".
>
> Atos 1.4-8, NVI

Agora, já temos um pouco do contexto. Percebe o que fizemos quando lemos os versículos 4 a 7? Ouvimos uma conversa. Jesus falou, os apóstolos responderam, e ele lhes deu uma ordem. Então eles fizeram uma pergunta e ele corrigiu a pressuposição deles. Em outras palavras, a conversa é um diálogo entre Jesus e seus seguidores mais próximos. E, no meio desse diálogo, basicamente ele lhes disse: "Mas esperem um pouco". Esse *mas* do versículo 8 é importante.

Olhe o versículo 7 novamente: "Não lhes compete saber os tempos ou as datas que o Pai estabeleceu pela sua própria autoridade". Essa declaração se refere ao momento em que Jesus voltará e restabelecerá seu reino. Jesus estava dizendo que, uma vez que não sabemos quando todos esses eventos acontecerão no futuro, alguma coisa desempenhará um papel significativo em nossa vida. Esse é o contraste.

É importante ter uma coisa em mente: nunca isole um versículo de seu contexto. Quando pegamos versículos isoladamente, sem ter uma visão mais ampla de como ele se encaixa no restante da passagem, isso leva ao erro, em especial quando os versículos são retirados de seu contexto.

Anos atrás, tive o privilégio de levar um de meus colegas da Marinha a Cristo. Deixei a ilha de Okinawa antes dele e, quando estava partindo para a Califórnia, ele me disse:

— Quando estiver na área da baía de San Francisco você poderia visitar meus parentes? Sei que eles adorariam conhecê-lo. Escrevi a todos eles sobre você.

— É claro que sim — disse eu. — Adoraria fazer isso.

A dispensa do serviço militar é um processo que leva tempo. Enquanto esperava pela papelada, tive um domingo livre, então telefonei para os parentes do meu amigo no sábado anterior.

— Ah, já ouvimos falar de você — eles disseram. — Você é o religioso que está influenciando nosso filho.

Bem, esse foi um bom começo, não foi? Logo de início, fui classificado como um "religioso".

— Queremos que você vá à igreja conosco — disseram.

Eles iam a uma igreja liberal, o que percebi assim que entrei. Era muito colorido e criativo.

— Este lugar não é maravilhoso? O mármore é lindo. Veja as pinturas nas paredes — disseram eles.

Reparei nos quadros enormes e belos. Havia uma pintura de Abraham Lincoln. Ao lado dele, vi outra, de Mahatma Gandhi. Havia ainda uma de Sócrates e, ao lado, uma de Jesus de Nazaré, seguida por outra de mais um presidente norte-americano. Abaixo, em letras douradas, as palavras "Todos vocês são filhos de Deus". À primeira vista, qualquer um que admirasse aquelas belas obras de arte emolduradas pensaria que todos os retratados ali eram filhos de Deus. Mas esse versículo tem uma continuação: "Pois todos vocês são filhos de Deus por meio da fé em Cristo Jesus" (Gl 3.26).

Ora! O versículo inteiro está dizendo algo bem diferente do que aquelas seis primeiras palavras citadas naquele lugar deixavam implícito. Ao usar apenas uma porção de um versículo, podemos facilmente perder alguns detalhes que são importantíssimos. Ao destrincharmos Atos 1.8, precisamos entender não apenas cada palavra, mas também o contexto mais amplo do versículo.

Voltemos ao versículo 8 e avancemos para a palavra seguinte, o verbo "receberão". Embora o sujeito não esteja explícito no versículo, basta olharmos para o versículo 6, em que Jesus se dirige a seus apóstolos, para saber que o verbo se refere a eles, seus seguidores. Jesus não estava dizendo que eles iriam *fazer* algo acontecer; eles estavam prestes a *receber* algo. Em seguida, notamos que o verbo está no tempo futuro. Ao lermos o versículo, podemos presumir que os apóstolos não tinham o poder naquele momento, mas que chegaria um tempo no futuro em que eles o receberiam. Não é complicado observar isso, mas se você passar descuidadamente pelo texto poderá ignorar esse fato.

A maioria das pessoas lê a Bíblia com pressa de modo a conseguir completar um capítulo inteiro em dez ou quinze minutos. Mas se você deseja ser um estudante sério da Bíblia, então precisa esquecer o curso de leitura dinâmica. Não pode haver pressa.

Agora é um bom momento para fazer uma pausa e resumir nossas observações até aqui.

Mas[1] **receberão**[2] poder quando o Espírito Santo descer sobre vocês, e serão minhas testemunhas em Jerusalém, em toda a Judeia e Samaria, e até os confins da terra.

[1] **(Mas)**: Contraste em relação àquilo que foi relatado anteriormente.

[2] **(receberão):** Verbo conjugado no plural (uma referência aos apóstolos de Jesus), no futuro do indicativo, porque naquele momento eles ainda não tinham poder.

Se era importante o suficiente que Jesus dissesse "mas receberão", então é importante o suficiente que descubramos a que ele estava se referindo. Receber *o quê*? Ele usa a palavra "poder". Se procurarmos a definição dessa palavra em um dicionário, encontraremos algo como "a capacidade ou a habilidade de agir ou realizar algo de maneira eficiente". *Poder* é uma palavra significativa no versículo e, portanto, merece investigação. Este é um bom momento para observar a natureza de causa e efeito da declaração de Jesus: "Receberão poder quando o Espírito Santo descer sobre vocês".

Agora, pare e imagine a cena. Os apóstolos não estão pedindo pelo Espírito Santo em oração. Não estão tentando barganhar, imaginando que, se abrirem mão de algo, em troca receberão o Espírito. Não estão prometendo que a vida deles será boa e pura para que assim o Espírito venha sobre eles. Não; Jesus está simplesmente dizendo: "Vocês receberão". Essa é uma promessa. Aliás, uma promessa incondicional. É como se ele estivesse dizendo: "Podem contar com isso. Vocês receberão poder porque ele virá do Espírito Santo". O Espírito de Deus é a causa; o efeito é a presença de seu poder na vida deles.

E essa não é a única promessa presente aqui. Analisemos o termo seguinte, a pequena conjunção *e*: "e serão minhas testemunhas". Marquei os verbos *receberão* e *serão* em minha Bíblia. Jesus disse que eles receberiam poder e que seriam suas testemunhas. As duas promessas vêm diretamente dele.

Conforme observo mais e mais detalhes, faço uma pausa e deixo a imaginação correr solta. Tento visualizar aqueles homens à medida que ouviam o que estava sendo dito. Como devem ter ficado maravilhados e animados! Sabe por quê? Porque, no cenário anterior, quando os apóstolos estavam com Jesus, eles estavam fugindo, depois que ele foi preso. Jesus seguia para o tribunal e, por fim, seria pregado na cruz. Aqueles mesmos homens que fugiram agora voltavam a ele. Eles o viram e o ouviram dizer: "Não tenham medo". Receberam sua garantia. E agora, por incrível que pareça, estavam ouvindo: "Vocês não serão punidos por terem fugido. Na verdade, algo transformador acontecerá nas suas vidas. Vocês receberão poder vindo do Espírito Santo — a terceira pessoa da Trindade. Vocês terão força sobrenatural. Terão conhecimento da verdade da minha Palavra. Terão coragem. Não serão intimidados quando os adversários os confrontarem".

Percebe o benefício de usar a imaginação? Podemos deixar que as palavras retratem a cena. Entramos naquele mundo e imaginamos como nos sentiríamos ao ouvir Jesus nos dizer, juntamente com os apóstolos: "Vocês receberão poder e contarão a todo mundo sobre Cristo, como suas testemunhas em toda parte!". Nossa tendência pode ser começar a aplicar o que aprendemos logo em seguida, mas por ora vamos nos forçar a continuar observando.

O versículo só termina depois de Jesus ter sido bem específico quanto ao local. Aonde os apóstolos iriam quando testemunhassem? Observe o final do versículo 8: "em Jerusalém, em toda a Judéia e Samaria, e até os confins da terra".

Isso deveria nos levar a perguntar: "Onde ficam esses lugares?". Sempre que a Bíblia mencionar locais, precisamos encontrá-los em um mapa. O que se descobre é que todos esses lugares ficavam na terra de Israel. Abra seu atlas ou vá até as últimas páginas de sua Bíblia e veja os mapas ali. Deve haver um mapa chamado "O ministério de Jesus" ou algo semelhante. Examine-o. Reserve tempo para se familiarizar com a terra de Israel (muitas vezes chamada de Palestina) nos dias de Jesus. Na parte superior do mapa há uma extensão de águas chamada mar da Galileia. Descendo um pouco, há uma extensão bem maior chamada mar Morto. Entre esses dois corpos de água, correndo do norte para o sul, fica o rio Jordão, que nasce no mar da Galileia e deságua no mar Morto. Para encontrar Jerusalém, siga para a parte norte do mar Morto e depois olhe para o oeste. Ali você encontrará a cidade de Jerusalém, a "base de operações" dos apóstolos. Jesus disse que eles seriam suas testemunhas ali em Jerusalém. Depois de receberem poder, partiriam dali onde estavam. Tenha esse fato em mente.

A seguir, Jesus promete que eles seriam suas testemunhas na Judeia. Veja as letras grandes perto de Jerusalém onde se lê "Judeia". A Judeia era uma província, algo semelhante a um estado em nosso país. Jerusalém era uma cidade localizada na província da Judeia, assim como Dallas fica na "província" do Texas. Jesus estava dizendo que seus apóstolos seriam testemunhas não apenas em sua própria cidade, mas que também levariam a mensagem às cidades em torno deles — outros locais da província da Judeia.

Para encontrar Samaria, mova seu dedo para o norte. Procure pela palavra escrita com o mesmo formato da Judeia, uma vez que também era uma província.

Jesus está dizendo a seus apóstolos que, *quando eles recebessem poder, seriam suas testemunhas onde viviam e, então, fora de onde viviam, e levariam sua mensagem até mesmo a Samaria. E, dali, eles a levariam até os confins da terra.*

Essa última frase — "até os confins da terra" — indica uma área tão ampla em termos geográficos que o mapa do ministério de Jesus não cobre. Se você encontrar um mapa que indique as viagens missionárias de Paulo, verá como a mensagem começou a se espalhar ao longo do livro de Atos.

DIVISÃO ROMANA DA PALESTINA
0 10 20 30 milhas
0 10 20 30 40 quilômetros
Mar Mediterrâneo (Grande Mar)
FENÍCIA
ABILENE
Abila
ITUREIA
Monte Hermom
Damasco
SÍRIA
Rio Farfar
Sidom
Tiro
Cesareia de Filipe
Cadasa (Quedes)
GAULANITES
TRACONITES
Rafana
Lago Hula
Monte Merom
Thella
Estrada Costeira
GALILEIA
Corazim
Cafarnaum
Betsaida
Genesaré
Magadã
Gerasa
Mar da Galileia (Quinerete)
Hipo
Tiberíades
Ptolemaida (Aco)
Monte Carmelo
BATANEIA
Gebae
Monte Tabor
Rio Jarmuque
Gadara
Abila
Dora
Naim
Rio Quisom
Edrei
AURANITES
Cesareia
DECÁPOLIS
Pela
Dotã
Citópolis (Bete-Sã)
Diom
SAMARIA
Gerasa
Grande Estrada Litorânea
Sebaste (Samaria)
Monte Ebal
Sicar
Amatus
Rio Jaboque
Monte Gerizim
Rio Jarcom
Antipátride (Afeca)
Alexandrium
Jope
Rio Jordão
PEREIA
Filadélfia (Amã)
Lida (Lode)
Efraim
Betel
Tirus
Jericó
Abila
Azoto (Asdode)
Jamnia
Jerusalém
Cipros
Esbus (Hesbom)
Monte das Oliveiras
Betânia
Medeba
Hircânia
Belém
Ascalom
JUDEIA
Herodium
Marisa
Macaeros
Hebrom
Adora
NABATEIA
Gaza
En-Gedi
Mar Morto (Mar Salgado)
Rio Arnom
Estrada Real
Rafá
Ribeiro de Besor
Arade
Massada
Berseba
IDUMEIA
Malata (Moladá)
Divisão do reino de Herodes entre seus três filhos
Território de Arquelau
Território de Herodes Antipas
Território de Filipe
Território do procônsul da Síria
Cidade
Cidade pertencente a Decápolis
Fortaleza herodiana
Cidade pertencente a Decápolis (localização incerta)
Montanha
Extensão do reino de Herodes, o Grande

Voltemos a nosso versículo principal, Atos 1.8. Quero fazer a correlação de tudo isso de uma maneira que talvez surpreenda. O que temos aqui em Atos 1.8 é um esboço inspirado de todo o livro de Atos. Nos primeiros sete capítulos, os apóstolos estavam em *Jerusalém*, testemunhando, sofrendo e suportando perseguição intensa. Os apóstolos e os líderes da igreja primitiva eram incompreendidos pela comunidade religiosa, e alguns deles enfrentavam hostilidade e prisão. Ao mesmo tempo, notavam a bênção de Deus sobre eles, conforme o número de convertidos crescia. O ministério de poder dos apóstolos em Jerusalém começa em Atos 2 e continua até o capítulo 7.

Como resultado da perseguição intensa, os apóstolos foram forçados a se espalhar, e seguiram para a *Judeia* (At 8). Em Atos 9, Paulo (originalmente chamado Saulo) converteu-se quando estava a caminho de Damasco. Seu plano original era intimidar e silenciar os cristãos que viviam ali, mas Deus tinha outros planos! Depois de sua conversão e transformação, Paulo transmitiu a mensagem muito além da Judeia, chegando ao mundo gentio. Assim, entre Atos 8 e o fim do livro, Paulo e outros foram para *Samaria* e, em última análise, *até os confins da terra*.

Se você pedisse às pessoas da época que identificassem as partes mais remotas do mundo, a maioria teria citado Roma, onde ficavam o imperador e o governo romano. E você acredita que, no final da vida de Paulo, ele teve uma audiência face a face com o imperador? Todo esse fluxo de eventos é exatamente aquilo que Jesus prometeu em Atos 1.8. Ele literalmente esboçou o itinerário da difusão do evangelho!

Às vezes é bom tentar resumir o texto com nossas próprias palavras a fim de aprimorar nossa compreensão. Outro vislumbre de Atos 1 nos permite fazer esta interpretação livre das palavras de Jesus a seus seguidores mais próximos:

> Mas, uma vez que não posso lhes informar o momento específico de minha volta a esta terra, deixem-me dizer o que acontecerá nesse meio-tempo. Vocês serão os recipientes do invencível poder divino — poder que terá sua fonte no Espírito Santo. Ele os encherá desse poder, de modo que vocês se tornarão indivíduos transformados. Não agirão mais em função do medo, da insegurança e da intimidação. Em vez disso, levarão minha mensagem a esta cidade onde estão e, depois, às províncias ao redor dela. Levarão minha mensagem a Samaria, a lugares onde nunca estiveram. Serão porta-vozes inspirados por Deus. Então, dali, vocês a levarão a todos os lugares — até mesmo aos pontos mais remotos da terra.

Mas[1] receberão[2] **poder**[3] quando o Espírito Santo descer sobre vocês, e serão minhas **testemunhas**[4] em **Jerusalém**, em toda a **Judéia** e **Samaria**, e até os **confins da terra**.[5]

[1] **(Mas)**: Contraste em relação àquilo que foi relatado anteriormente.

[2] **(receberão):** Verbo conjugado no plural (uma referência aos apóstolos de Jesus), no futuro do indicativo, porque naquele momento eles ainda não tinham poder.

[3] **(poder)**: O poder vem do Espírito Santo.

[4] **(testemunhas)**: O poder é para testemunhar.

[5] **(Jerusalém, Judéia, Samaria e até os confins da terra)**: As testemunhas se movem do lugar onde estão para o mundo inteiro.

Preciso fazer uma pausa aqui para expressar meu entusiasmo! Pense no que Jesus predisse — pense na incrível esperança e no ânimo que devem ter inundado seus discípulos. Algo bastante notável é que todos esses *insights* vieram apenas do primeiro passo no "preparo da refeição". Nós simplesmente *observamos* o que está empacotado em um versículo — o que supera de longe a preparação dos ingredientes para fazer um bolo!

Portanto, agora você talvez esteja se sentindo um pouco presunçoso. "Puxa, eu conheço esse versículo. Veja todas essas observações que fizemos. Estou pronto!" Lembro-me que tive esse sentimento quando frequentei um dos cursos do dr. Hendricks chamado Métodos de Estudo Bíblico, lá atrás, quando eu estava no primeiro ano do seminário. Todos os alunos ficavam sentados na ponta da cadeira. Nenhum professor era igual ao dr. Hendricks ao ensinar seus alunos como estudar a Bíblia. Lembro-me claramente de ouvi-lo dizer: "Muito bem, rapazes" — lá em 1959, apenas homens frequentavam o Seminário Teológico de Dallas — "quando vocês forem para casa, para seu dormitório ou para seu apartamento hoje à noite, quero que escrevam cinquenta observações sobre Atos 1.8 em uma folha de papel". Meu primeiro pensamento foi: "Você deve estar brincando. Cinquenta? Achei que faríamos um bom trabalho montando uma lista com dez ou doze". Naquela noite, sentei-me em nosso pequeno apartamento e, depois de um tempo considerável, escrevi as cinquenta observações. Eu me sentia bastante especial quando levei o trabalho de volta para a classe no dia seguinte. Depois de cada um ter colocado suas cinquenta observações na mesa do professor, ele disse: "Bom trabalho. Agora, voltem para casa hoje à noite e escrevam outras cinquenta observações do mesmo versículo". Meu queixo caiu! Será que ele estava brincando? Mas quer saber o que aconteceu? Nós conseguimos. Como isso foi possível?

A resposta é simples: temos um *texto infinito*! A Bíblia é incomensurável. Suas verdades estão além de qualquer medida. Você pode pegar outro versículo ou seção das Escrituras e manter-se ocupado por horas. Como? Fazendo exatamente o que estamos fazendo: escavando as palavras, observando o contexto, examinando os detalhes e entendendo como eles se relacionam um com o outro.

Um banquete para os sentidos

Desfrutar uma refeição deliciosa é sempre um banquete para os sentidos. A maneira como a refeição é apresentada, seu odor, juntamente com a textura e o paladar, tudo isso se combina para tornar a comida prazerosa. O mesmo acontece com as Escrituras. À medida que aprendemos a envolver nossos sentidos, os versículos ganham vida em nossa mente e, por fim, em nossa vida! Esse processo tem início quando aprendemos a entender o que estamos lendo.

Comecemos com os olhos. Para que nos tornemos observadores perspicazes, precisamos ler como se fosse a primeira vez. Quando nos treinamos para ver a Palavra de Deus com olhos renovados, há grandes chances de notarmos detalhes que nunca havíamos percebido. É sério!

Muitos anos atrás, eu estava viajando com nosso filho mais novo na picape dele, e estávamos atrás de um grande caminhão branco da conhecida empresa de remessa de correspondência FedEx. Conversávamos sobre outros assuntos, não sobre o caminhão, quando Chuck interrompeu bruscamente a conversa.

— Está vendo a seta?

— Seta?

— Sim, aquela seta no logotipo da FedEx. Viu?

— Estamos olhando para o mesmo caminhão? — perguntei.

— Sim, pai, *olhe!*

Eu não conseguia entender o que ele estava dizendo.

— Mas que seta?

Ele riu.

— Aquela seta branca entre a letra *e* e a letra *x*.

Olhei fixamente e estudei o logotipo. De repente, eu a vi. Nunca havia enxergado uma seta no logotipo até aquele dia, muito embora eu veja esses caminhões por aí há anos. Agora, porém, toda vez que olho para um caminhão da FedEx, tudo que consigo ver é a seta! Isso é engraçado pois, assim que você descobre algo, fica pensando em como é que pôde ignorar aquilo por tanto tempo.

Ao começar a se familiarizar novamente com as Escrituras, você fará diversas observações pela primeira vez. Elas estão lá há bastante tempo, mas, de repente, seus olhos verão as verdades que você deixou passar por toda sua vida. Um método que o ajudará a fazer observações originais e criteriosas é ler em uma versão bíblica diferente da que você normalmente usa. Para esse estudo, peguei da prateleira meu exemplar da Bíblia *A Mensagem* e fui para Atos 1.8. Eugene Peterson entende esse versículo da seguinte maneira:

> Ele respondeu: "Vocês não devem tentar descobrir a hora. Determinar o tempo é responsabilidade do Pai. Vocês vão receber o Espírito Santo, e, quando ele vier, vocês serão minhas testemunhas em Jerusalém, por toda a Judeia e Samaria e até mesmo aos confins da terra".

O significado aqui é similar, mas existe certa amplificação oportuna. Quando abordamos as Escrituras com seriedade, lemos outras versões para obter uma compreensão mais ampla. Nunca preparo uma mensagem sem reservar tempo para ler outras versões. Invariavelmente, isso me ajuda a ver as palavras como se fosse a primeira vez.

Aqui vai outra dica: preste atenção nos sons das Escrituras. Consegue ouvir os sons dos legumes sendo picados ou o chiado de um filé na frigideira enquanto prepara uma refeição? Sugiro que comece a ler sua Bíblia com os ouvidos, como se estivesse lendo uma carta de amor. Ouça as palavras e sinta as emoções. Lembro-me de quando estava no exterior havia mais de dezesseis meses longe de minha esposa. Quando recebia uma carta de amor dela, eu nunca dizia: "Ah, é só outra carta da Cynthia. Que bom", e continuava meu trabalho. É claro que não! Eu dizia: "Uau!". E, então, havia o "teste do perfume". "Ah, rapaz! A carta tem o cheiro do perfume dela. Sim, esta carta é dela! Uau!"

Numa das cartas, ela começava dizendo "Querido Charles" (era assim que ela costumava me chamar). Contudo, na carta anterior, ela havia começado com a expressão "Meu amado e querido Charles". Dessa vez, porém, escreveu apenas "Querido Charles". *Por que a mudança? O que isso significa? O que aconteceu? Alguma coisa mudou?* Lembre-se: quando você está lendo uma carta de amor, não existe palavra insignificante. Retirei-me para um lugar tranquilo e privado e li suas palavras em voz alta, de modo que meus ouvidos pudessem ouvir o que minha boca estava dizendo. Então pude ouvir a voz dela entre as linhas. Devo acrescentar que lia repetidas vezes. Lia algumas cartas oito, dez, talvez doze vezes. A única coisa que eu tinha dela eram suas cartas de amor para mim. Elas sempre me contavam mais que apenas fatos e eventos. Elas incluíam palavras de afeição. Significavam algo extremamente importante para mim, porque eu estava em um lugar solitário, cercado de colegas marinheiros, mas longe de casa. Eu extraía cada grama da emoção de minha esposa de toda carta que eu recebia. Eu entrava no mundo dela. Permitia que suas palavras cozinhassem em fogo brando no fogão da minha mente. Eu vivia pelas cartas de amor de Cynthia!

Portanto, leia a Bíblia como a carta de amor de Deus enviada a você. Leia as palavras repetidas vezes. Leia em voz alta. Se você estivesse no meu escritório, ouviria as conversas que tenho com Deus sobre aquilo que ele escreveu. Eu converso com ele e interajo com suas palavras. É dessa maneira que conheço as Escrituras — e é dessa maneira que conheço a Deus! É por isso que, quando ensino uma passagem das Escrituras, é como se eu já tivesse estado ali antes. Revivo a cena: ouço o crepitar do fogo, cheiro o peixe que Jesus estava grelhando junto à praia, provo o pão que ele serviu a seus discípulos. Insisto: passar por esse processo leva tempo. Talvez você tenha apenas trinta minutos por dia. Se é assim, então observe o que está lendo por trinta minutos a cada dia.

A terceira maneira pela qual você precisa ler sua Bíblia é com o nariz. Você precisa do nariz de um detetive. Pense nos programas de televisão que mostram investigações de crimes. Os detetives estudam cada fio de cabelo, cada linha, pista e mancha, cada conversa telefônica gravada, cada mensagem de *e-mail*, e também cada cheiro. Detetives de mente aguçada olham cuidadosamente para cada marca de mão, impressão digital e pegada.

Os detetives sabem que cada pista para a qual olham diz algo importante. Portanto, quando estudar as Escrituras, preste atenção em verbos, substantivos, preposições, adjetivos, advérbios e até mesmo pronomes. Você pode pensar: "Pronomes? Qual é a importância disso?".

Voltemos para Atos 16, e descobriremos a importância dos pronomes. Esse capítulo é um registro da segunda viagem missionária de Paulo. Ele havia esperado que o Senhor lhe desse alguma orientação e a seus companheiros, mas nenhuma oportunidade se revelou. Paulo havia tentado pregar em diferentes lugares, mas todas as portas estavam fechadas.

> Naquela noite, Paulo teve uma visão, na qual um homem da Macedônia em pé lhe suplicava: "Venha para a Macedônia e ajude-nos!". Então decidimos partir de imediato para a Macedônia, concluindo que Deus nos havia chamado para anunciar ali as boas-novas.
>
> Embarcamos em Trôade e navegamos diretamente para a ilha de Samotrácia e, no dia seguinte, chegamos a Neápolis. Dali, alcançamos Filipos, cidade importante dessa região da Macedônia e colônia romana, e ali permanecemos vários dias.
>
> Atos 16.9-12

A primeira parte desse relato diz que Paulo tem uma visão (v. 9). O pronome *nos*, que aparece no final do versículo 9 ("ajude-nos"), se refere ao povo da Macedônia. Há outro pronome implícito no início do versículo 11: "[Nós] embarcamos". Vamos parar e pensar um pouco. Não é "eles", mas "nós". Pela primeira vez no livro de Atos, a pessoa que escreve o livro (Lucas) se insere na narrativa. Nesse ponto, Lucas se junta aos viajantes. Não é apenas Paulo ou Silas ou os outros companheiros, mas Lucas também. Às vezes o relato diz "eles"; em outros momentos, diz "nós", alertando o leitor sobre as vezes em que Lucas é incluído.

Quando tiver o nariz de um detetive, você notará muitos desses detalhes que se mostram significativos. E, quando você os aponta para aqueles a quem está ensinando, essas pessoas se alegrarão com as descobertas! É maravilhoso perceber o que podemos aprender com a observação cuidadosa do texto. O homem que escreveu o livro de Atos não se envolveu em nenhuma das jornadas anteriores ao capítulo 16. E, dali em diante, Lucas desempenha papel significativo como companheiro e médico pessoal de Paulo.

Pense na sua refeição favorita, preparada com perfeição. Imagine o gosto tão logo o primeiro bocado encosta em sua língua. Magnífico! O mesmo acontece com a Palavra de Deus. Quando a estudamos cuidadosamente, temos o privilégio de saborear o texto. Leia-o como se você estivesse nele. Tento imaginar como deve ter sido estar na multidão quando Jesus passava. Coloco-me na cama do doente e tento imaginar como deve ter sido não poder andar e então, de repente, adquirir a habilidade de ficar em pé e sair caminhando por aí. Uma sensação marcante me sobrevém como resultado de eu mesmo entrar no texto. Você pode ter a mesma experiência. É arrebatador!

Darei um passo adiante. Se você for estudar o livro de 1Coríntios, junte-se à igreja de Corinto. Imagine como era ser uma igreja cheia de conflitos e que passava por uma destruidora divisão. Se você ler e estudar a ressurreição, caminhe para dentro da tumba! Coloque-se ao lado de Pedro e João e vivencie o impressionante momento em que você está olhando para os panos que ainda apresentam a forma de um corpo, mas que estão achatados, sem corpo algum para dar volume. Imagine o que passou pela mente daqueles homens: "O que significa tudo isso?". Quando estiver com Isaías, no capítulo 6, coloque-se ao lado do profeta quando ele vê o Senhor santo e exaltado e ouve os serafins dizendo: "Santo, santo, santo é o SENHOR dos Exércitos" (v. 3). Sinta o frio na espinha! Ouça os serafins batendo as asas enquanto cercam o Senhor na sala do trono, depois repita você mesmo as palavras de louvor. Quando ensinei essa passagem em um sermão, pedi à congregação que repetisse várias vezes e bem alto a frase: "Santo, santo, santo!". Como tive a ideia de fazer isso? Aconteceu no meu escritório, quando estava sentado à escrivaninha, repetindo as palavras. Eu pensei: "Como posso comunicar essa ideia de maneira clara?". Então me ocorreu: "Pedirei a todos que entrem no texto e se transformem cada um em um serafim".

A resposta de Isaías à maravilhosa santidade de Deus foi uma onda de culpa e vergonha por seu pecado. Um dos serafins pegou uma brasa ardente do altar com uma tenaz e tocou os lábios do profeta. Você é capaz de sentir a queimadura do carvão quente na boca? Quando usamos essa abordagem da observação pelos sentidos, a Bíblia se torna viva e ativa!

Cinco sinais a procurar

Antes de terminar este capítulo, tenho uma importante sugestão para ajudar você a se tornar um observador perspicaz das Escrituras. Essa dica vem em várias partes. Primeiro, pegue papel e caneta. Em seguida, faça o traçado da sua mão, começando do polegar e contornando cada dedo até chegar ao pulso, dos dois lados. Isso o ajudará a se lembrar dos cinco sinais pelos quais deve procurar. Vamos escrever palavras no polegar e em cada um dos outros quatro dedos.

1. *No polegar, escreva "ênfase".* Quando olhar para sua Bíblia, sempre procure pelo que é enfatizado. Como saber o que é enfatizado? Pelo tamanho do texto usado para discutir e explicar o ponto. Gênesis tem a ver com a Criação e tem a ver com a Queda. Em seguida, trata do início das nações. Depois, enfoca Abraão. A história de Abraão é narrada nos capítulos 12 a 27, e a quantidade de espaço indica que ele é quem está sendo enfatizado. Portanto, começando com seu polegar, lembre-se: temas enfatizados.
2. *No dedo indicador, escreva "repetição".* São as palavras usadas com frequência na Bíblia. Lembra-se de quando analisamos a primeira seção de Provérbios, no capítulo 2? A expressão "meu filho" foi repetida diversas vezes. O autor a repetiu porque estava oferecendo conselhos a seu filho. Preste atenção, em particular, quando um nome for mencionado duas vezes, como em "Abraão! Abraão! [...]. Não toque no rapaz" (Gn 22.11-12), ou em "Saulo, Saulo, por que você me persegue?" (At 9.4). Uma repetição do mesmo nome significa: "Isto é importante!". Não raro, a repetição visa conduzir a um momento apoteótico no relato. Pense no seu dedo indicador como um "sinalizador". Isso fará que você se lembre de apontar as palavras repetidas.
3. *No dedo médio, escreva "relação".* Procure ideias nas Escrituras que estejam intimamente conectadas. Veja como elas normalmente aparecem: perguntas são seguidas por respostas. Vimos um exemplo disso em Atos 1.7-9. Promessas são seguidas por recompensas; advertências, por falhas ou obediência; pecado costuma ser seguido por consequências. Tome nota dos termos ou expressões que estão intimamente relacionados uns aos outros, porque eles lhe mostrarão o significado correto da passagem.
4. *No dedo anelar, escreva "semelhante".* Ideias semelhantes às vezes costumam ser apresentadas com as palavras "como" e "assim". Veja alguns exemplos: "Como a corça anseia pelas correntes de água, assim minha

alma anseia por ti, ó Deus" (Sl 42.1). Que bela imagem retratada pelas palavras! Essas são coisas semelhantes. As palavras "como" e "assim" indicam analogias. Aquele que tem sede da verdade de Deus é como uma corça na floresta, que busca a água refrescante de um ribeiro borbulhante e nela se satisfaz. Veja outros exemplos que não usam as palavras "como" e "assim", mas que, do mesmo modo, mostram duas coisas semelhantes: "Eu sou a videira; vocês são os ramos" (Jo 15.5); "Nós somos o barro, e tu és o oleiro" (Is 64.8).

5. *No dedo mínimo, escreva "contrário"*. Isso tem a ver com opostos. Existe um forte contraste entre a lista de atributos que descreve a natureza pecaminosa (Gl 5.19-21) e a lista de características do fruto do Espírito que aparece em seguida (Gl 5.22-23). O contraste entre essas duas listas mostra que uma coisa é diferente da outra. Paulo está mostrando que o crente, que tem o Espírito Santo, é completamente oposto ao descrente. O contraste nos força a escolher um lado ou outro.

Ainda que tenhamos recebido o dom da visão, não recebemos o dom da observação até que o Senhor entre e ilumine nossa mente. Quando nos entregamos às palavras das Escrituras por meio da oração, da dedicação de tempo e da disciplina, começamos a ouvir coisas que nunca ouvimos e vemos coisas que nunca vimos. À medida que a Palavra de Deus ganhar vida, nosso ânimo crescerá de forma indescritível!

Existe uma chave para abrir nossa visão em relação à Bíblia. Clara Scott, que escreveu as palavras deste hino, tinha essa verdade em mente:

Abre-me os olhos, para que eu veja
A imagem da verdade que tens para mim [...]
Abre-me os ouvidos, para que eu ouça.

Por fim, ela diz:

Coloca em minha mão a maravilhosa chave
Que há de me soltar e libertar.

A chave é a observação. Como uma refeição saudável e completa começa com uma consideração cuidadosa dos ingredientes, assim o estudo bíblico eficaz começa com a observação cuidadosa.

- Comece em oração.
- Vá devagar.
- Leia com atenção.
- Pense com profundidade.
- Sinta com paixão.

Pense nesses passos como degraus de uma escada na despensa que o ajudam a alcançar as prateleiras mais altas. Estamos no caminho correto para aquele banquete delicioso. Quase posso sentir o delicioso aroma que vem da cozinha.

Sua vez na cozinha

A leitura dos ingredientes de uma receita é um processo cuidadoso — e é fundamental para garantir que a refeição seja preparada da maneira correta. Além do mais, é útil para desenvolver suas habilidades de observação à medida que você estuda as Escrituras. Veja a seguir alguns exercícios para você experimentar.

1. Uma das maneiras de aguçar suas habilidades gerais de observação é usar todos os seus sentidos. Vá a um lugar público familiar, como uma cafeteria, e fique sentado ali por trinta minutos. Durante esse tempo, tome nota apenas das novas observações que fizer sobre aquele local. Registre tudo que observar mediante seus cinco sentidos (visão, audição, olfato, paladar e tato). O que você observou que nunca havia observado? O que aprendeu sobre o poder da observação?

2. Procure João 3.16 em sua Bíblia. Reserve tempo para ler todo o capítulo 3 e entender o contexto. Em seu diário ou em uma folha de papel, escreva 25 observações sobre João 3.16 (semelhante ao que fizemos em relação a Atos 1.8).

3. Embora a observação comece com um versículo específico, é importante observar uma passagem das Escrituras em seu contexto. Essa habilidade será útil se você estiver estudando a Palavra de Deus por conta

própria ou preparando uma lição ou um sermão. Leia Filipenses 4.4-9 de forma lenta e atenciosa e, depois, tome nota de vinte observações-chave. Caminhe no seu ritmo, seguindo as instruções deste capítulo.

4. É importante observar os ensinamentos de Jesus porque eles fornecem o fundamento de nossa fé. Um dos métodos de ensino mais comuns de Jesus era contar parábolas ou pequenas histórias para apresentar e explicar suas ideias. Leia a parábola do bom samaritano em Lucas 10.25-37. Em seguida, faça dez observações sobre o que você percebe nessa parábola e seu contexto. Preste atenção ao que levou Jesus a contar essa história.

5. A Bíblia está repleta de histórias nas quais Deus interage com pessoas e nações. Aprender a observar bem uma narrativa é importante tanto no estudo quanto no ensino das Escrituras. Leia com atenção a história de Daniel na cova dos leões em Daniel 6.1-28. Em seguida, faça dez observações sobre esse relato verídico.

6. Pratique o uso da imaginação para recriar uma cena bíblica em sua mente. Leia com atenção Isaías 6.1-8 e, em seguida, descreva como poderia ser a aparência do serafim. Como você acha que Isaías se sentiu? Use os cinco sentidos (visão, audição, olfato, paladar e tato) para descrever a cena. Como a recriação dessa cena na imaginação afeta sua compreensão dela e sua capacidade de ensiná-la?

Dica adicional: Desenvolva um sistema de marcação em sua Bíblia para observar as Escrituras. Você pode, por exemplo, desenhar uma caixa em torno de palavras de conexão, conhecidas como conjunções (*e, mas, portanto, uma vez que*); sublinhe as promessas; escreva "def" na margem quando encontrar uma palavra que é definida no versículo (como a fé, que é definida em Hb 11.1). Registre seu sistema por escrito e use-o toda vez que estudar as Escrituras. Você também pode usar canetas coloridas para marcar palavras e/ou versículos em sua Bíblia. As cores podem ajudá-lo a enfatizar certas palavras que queira memorizar. Você pode, por exemplo, sublinhar mandamentos importantes em vermelho ou circular nomes de destaque em azul, ou ainda destacar perguntas importantes em amarelo. As possibilidades são infinitas. Apenas lembre-se de ser coerente com seu sistema.

5
Compreendendo os nutrientes

....

A interpretação do texto

Um banquete que seja tão saboroso quanto saudável exige muito do *chef*. Ele precisa conhecer não apenas o gosto dos sabores, mas também os nutrientes que a refeição fornece. Certos sabores se complementam muito bem, outros não. Alguns alimentos contêm muitas calorias, mas não fornecem nutrição duradoura para o corpo. Para que seja saudável e agradável, uma refeição precisa contar com o equilíbrio entre ingredientes saborosos e nutrientes benéficos. Um bom *chef* trabalha diligentemente para montar refeições nutritivas e deliciosas.

A exemplo dos que lidam com alimentos de maneira adequada e sábia, nós, seguidores de Cristo, precisamos cultivar habilidades para lidar com a Palavra de Deus de maneira responsável e precisa. A Bíblia não é um livro de códigos reservado aos estudiosos mais capacitados. Ela não contém mensagens secretas escondidas em suas páginas. A Palavra de Deus foi escrita para pessoas comuns, como você e eu, para nos ajudar a entender a vontade de Deus e andar em seus caminhos. Contudo, como estamos descobrindo, a preparação de uma refeição nutritiva das Escrituras não surge rápida ou espontaneamente. Ninguém nasce com a capacidade natural de entender a verdade de Deus, mesmo depois de se tornar cristão. A aquisição de conhecimento e compreensão é resultado da obra do Espírito.

No processo de aprender a lidar com a Bíblia com responsabilidade, estamos descobrindo que precisamos praticar e aperfeiçoar certas disciplinas.

Passei minha vida desenvolvendo essas disciplinas — e ainda o faço. Minha esperança ao compartilhar esses *insights* é que você possa começar a fazer o mesmo. Minha tarefa básica como pastor é ser um expositor fiel das Escrituras e, ao fazê-lo, preparar o povo de Deus a realizar a obra do ministério por conta própria. É exatamente isso o que Paulo está dizendo em Efésios 4.12: "[Os pastores] são responsáveis por preparar o povo santo para realizar sua obra e edificar o corpo de Cristo". Precisamos de orientação das Sagradas Escrituras para fazer a obra de Deus.

Conforme discutimos nos capítulos anteriores, para aprender e aplicar as verdades da Palavra de Deus, devemos seguir certas orientações. Como acontece na preparação de uma refeição *gourmet*, precisamos seguir um processo intencional se quisermos produzir um resultado delicioso. Vamos separar um instante para rever os quatro passos que devemos dar ao examinar as Escrituras:

1. *O primeiro passo é a observação.* A observação responde à pergunta: "O que a Bíblia diz?". Se lemos um romance, observamos em primeiro lugar o que ele diz. Se lemos um artigo de uma revista, observamos as palavras que formam as frases. Depois, lemos os parágrafos para descobrir o propósito do autor.
2. *O segundo passo é a interpretação.* Isso é válido se estivermos lendo um romance, um artigo de revista, um versículo das Escrituras, um *e-mail* ou um bilhete de um amigo. Devemos adotar essa medida para apreender o significado. A interpretação é a compreensão do que a Bíblia quer dizer.
3. *O terceiro passo é a correlação.* Nesse estágio, nós nos concentramos na pergunta: "O que a Bíblia diz em outras passagens sobre este tópico?". Para aprender a interpretar, é necessário verificar outros versículos que tratam do mesmo assunto. Nenhum versículo da Bíblia é isolado. Nenhuma verdade se sustenta por si só. Assim como o diamante do anel tem um ponto de fixação no aro, todo versículo das Escrituras tem um contexto mais amplo. Ao comparar um versículo com outros, obtemos uma compreensão mais profunda de seu significado. Quando lemos, por exemplo, a história do eunuco etíope em Atos 8, descobrimos que ele enfrentava dificuldades para

entender a identidade da pessoa mencionada em Isaías 53. É uma atitude sábia deixar momentaneamente Atos 8 e ler o que foi escrito pelo profeta Isaías, de modo que possamos entender o quadro mais amplo. Em outras palavras, fazemos a correlação ou a comparação dessas duas passagens.

4. *O quarto passo é o ponto culminante do processo: a aplicação.* É o momento em que perguntamos: "O que a Bíblia quer dizer particularmente para mim ou para outra pessoa?". Aqui, consideramos como as Escrituras se relacionam com o nosso local de trabalho ou de estudo, como podemos nos dar bem com uma pessoa difícil e como devemos lidar com os desafios do casamento, com os filhos ou com os pais. O que a Bíblia tem a dizer sobre decisões que precisamos tomar? E quanto à luta contra determinada doença? Como permanecermos fortes em meio à dor? A Bíblia aborda todas as áreas da vida.

Quando aplicamos aquilo que já observamos, interpretamos e correlacionamos, as Escrituras ganham vida! O processo pode parecer tedioso e complicado, mas não é nenhuma das duas coisas. Conforme aprendermos os passos juntos, eles se tornarão um hábito natural todas as vezes que abrirmos as Escrituras. Mesmo que isso seja algo novo, não é difícil entender quando você aprende cada um dos passos do processo.

O que significa tudo isso?

No restante deste capítulo, vamos nos concentrar no segundo passo do estudo bíblico: a *interpretação*. A que essa etapa se refere? Em termos bem simples, trata-se de chegar ao entendimento do que a Bíblia quer dizer. Interpretei a Bíblia para você quando lhe expliquei o que as palavras e as frases estão ensinando. Assim que tiver aprendido as técnicas corretas envolvidas na interpretação das Escrituras, você não precisará que outras pessoas lhe expliquem. Se você conhece o Senhor Jesus Cristo, então já possui todo o equipamento necessário para preparar e cozinhar sua própria refeição.

INTERPRETAÇÃO

Chegar ao entendimento do que a Bíblia quer dizer.

Ao escavar e descobrir as verdades bíblicas, você perceberá que a interpretação é tanto uma ciência quanto uma arte. É uma ciência porque é guiada por regras que formam um sistema. Se você conhece e segue essas regras, então começa a interpretar as Escrituras com precisão. Você se protege do erro e obtém discernimento. Torna-se capaz de reconhecer mensagens falsas, quer estejam escritas, quer sejam ditas. Sua fé fica mais estável, e você é capaz de manter-se em pé sozinho ao adquirir o domínio da ciência da interpretação. Mas a interpretação também é uma arte, uma vez que requer habilidade direcionada pelo Espírito quando se utilizam essas regras para interpretar a Bíblia. Vamos nos aprofundar nesse assunto mais adiante neste capítulo.

É imprescindível destacar aqui o que a interpretação *não é*, algo tão importante quanto entender o que ela é. Interpretar não é o mesmo que impor suas opiniões sobre a Bíblia. Pode ser que tenham lhe ensinado a vida inteira que uma coisa é incorreta e, assim, você se verá procurando provas disso na Bíblia. Isso não é interpretação; isso é tentar comprovar aquilo que tinham lhe dito. Interpretar é extrair o que o texto diz e o que ele significa. É aquilo que você colhe da própria Bíblia. Além disso, a interpretação não se baseia em como você se sente. Há dias em que não me sinto nada bem, mas ainda assim me dedico ao estudo das Escrituras. Minhas emoções ou meu bem-estar físico podem afetar minha capacidade de concentração, mas as Escrituras falam por si. A interpretação correta não se fundamenta na esperança de que o texto diga o que temos em mente. Trata-se de aprender o que ele de fato quer dizer, com base no que ele diz.

A fim de ilustrar nossa dependência de Deus para chegar a uma interpretação correta, recorramos novamente ao salmo 119. O versículo 27 diz:

> Ajuda-me a entender tuas ordens
> e eu meditarei em tuas maravilhas.

O versículo começa com uma oração: "Ajuda-me a entender". Essas são palavras que demonstram dependência. Não sei quantas vezes na minha vida cristã orei dizendo simplesmente: "Ajuda-me, Senhor", "Ajuda-me a tomar a melhor decisão", "Ajuda-me a passar por este difícil momento de provação", "Ajuda-me a enfrentar esta situação, com a qual não estou familiarizado". Ou ainda fazendo este pedido frequente: "Ajuda-me a liderar este rebanho". É comum eu orar dizendo: "Ajuda-me a entender tuas ordens". Todas essas são orações de dependência. Devemos orar pedindo entendimento para interpretar a Bíblia de maneira correta.

Olhe um pouco adiante e pondere sobre as palavras destes versículos:

> Ensina-me teus decretos, ó SENHOR,
> e eu os guardarei até o fim.
> Dá-me entendimento e obedecerei à tua lei;
> de todo o coração a porei em prática.
>
> Salmos 119.33-34

O versículo 33 começa com o verbo "Ensina-me", e o 34, com "Dá-me". Nesses dois versículos vemos o que o salmista está pedindo a Deus. Seria um grande estudo ler todo esse salmo e listar os pedidos que ele faz a Deus. Isso revelaria o que o salmo ensina sobre oração. Ao esmiuçar cada versículo, começaríamos a discernir a profundidade de significado de cada oração.

Voltemos agora para o Novo Testamento, no livro de Atos, onde encontramos uma história cativante no meio do capítulo 8. Esse relato envolve duas pessoas que não poderiam ser mais diferentes. Uma é o evangelista chamado Filipe, e a outra é um eunuco etíope cujo nome não é revelado. O que sabemos é que ele é o responsável pelos tesouros de sua rainha e que estava em Jerusalém para participar da adoração. Por providência de Deus, os dois homens se encontram. Veja o que aconteceu:

> Um anjo do Senhor disse a Filipe: "Vá para o sul, para a estrada no deserto que liga Jerusalém a Gaza".
>
> Atos 8.26

A propósito, devo adverti-lo a não esperar que um anjo lhe diga algo assim! A razão de isso ter acontecido nos dias da igreja primitiva é que a Bíblia ainda não estava completa, de modo que Deus se revelava de maneiras incomuns, incluindo instruções por meio de visões, sonhos e seres angelicais. Nesse caso, o anjo literalmente disse a Filipe que fosse para o sul, para a estrada no meio do deserto que ia para Gaza. Hoje, há muitas pessoas esperando uma voz do alto ou olhando para o céu em busca de uma mensagem nas nuvens, ou ainda, tentando ouvir, tarde da noite, o sussurro de Deus. Não é comum que Deus fale conosco dessas maneiras nos dias atuais. Ele fala conosco por meio de sua Palavra. Sua mensagem para nós hoje é: "Leiam a minha Palavra. Está tudo ali".

De acordo com o versículo 25, Filipe estivera em Samaria. Podemos pensar em Filipe como o Billy Graham do primeiro século. Ele ministrou em ocasiões muito empolgantes e, ao transmitir a mensagem do evangelho, pessoas de várias partes de Samaria creram em Cristo. No meio de sua evangelização, o Senhor, com efeito, disse a ele: "Filipe, seu trabalho aqui está concluído. Quero que vá para uma estrada no deserto". Não houve nenhum tipo de embate entre Filipe e o Senhor. Como leremos no versículo 27, Filipe partiu de imediato.

A jornada de Filipe o levou à região de Gaza, um lugar com o qual você talvez não esteja familiarizado. Se a sua Bíblia tiver esse recurso, procure por um mapa que cubra o ministério de Jesus. (Gaza não aparece em todos os mapas, por isso você talvez tenha de pesquisar em mais de uma fonte.) No mapa, localize uma pequena extensão de água chamada mar da Galileia, ao norte, e o mar Morto, ao sul. Com o dedo, siga o rio Jordão, saindo do mar da Galileia até o mar Morto. Quando chegar à parte superior do mar Morto, mova o dedo para o oeste (esquerda) até encontrar Jerusalém. Gaza está a sudoeste de Jerusalém, próxima à costa do mar Mediterrâneo. Filipe saiu de Samaria e, então, foi de Jerusalém para Gaza. É uma longa jornada por uma área desértica e solitária, especialmente porque não existem muitas cidades ou aldeias entre Jerusalém e Gaza. O deserto da Judeia era um lugar estéril, com pouca grama e quase nenhum arbusto ou moita à vista. Filipe deve ter se perguntado por que deveria ir até lá.

Sendo assim, por que ele foi? Vamos a Atos 8 mais uma vez e vejamos como o Senhor trabalha:

> Filipe partiu e encontrou no caminho um alto oficial etíope, o eunuco responsável pelos tesouros de Candace, rainha da Etiópia. Ele tinha ido a Jerusalém para participar da adoração e estava no caminho de volta. Sentado em sua carruagem, lia em voz alta o livro do profeta Isaías.
>
> Atos 8.27-28

Servimos a um Deus que é Senhor sobre todo o universo, o que significa que ninguém lhe é desconhecido. Em sua soberania, Deus conduziu um eunuco etíope a um deserto estéril em seu caminho de volta para a Etiópia.

Deus sabia exatamente onde ele estava e para onde ia — e que teria de passar por Gaza para chegar lá. Não há lugar aonde você possa ir que esteja fora do conhecimento de Deus. O profeta Isaías aborda o interesse sempre constante do Senhor por nossa vida:

> Pode a mãe se esquecer do filho que ainda mama?
> Pode deixar de sentir amor pelo filho que ela deu à luz?
> Mesmo que isso fosse possível,
> eu não me esqueceria de vocês!
> Vejam, escrevi seu nome na palma de minhas mãos.
>
> Isaías 49.15-16

Sua localização é tão clara para o Senhor quanto o nariz no seu rosto. Deus sabe exatamente onde você está. Ele sabia onde o eunuco etíope estava. Sabia que aquele homem precisava conversar com Filipe, e sabia que Filipe tinha as boas-novas que aquele homem precisava ouvir. Assim, Deus enviou Filipe por todo o caminho até lá para se encontrar com o eunuco.

O homem etíope viajava sozinho e lia o rolo de Isaías depois de ter estado em Jerusalém para adorar. Veja como começa o versículo seguinte:

> Então o Espírito disse a Filipe...
>
> Atos 8.29

Embora seja verdade que o Espírito Santo deseja se comunicar conosco, permita-me fazer uma advertência: não espere que o Espírito Santo fale com você em voz alta. Não insista em um meio sobrenatural de comunicação, porque o Deus que nos deu sua Palavra espera que você vá à Palavra dele e o ouça ali. Ele lhe falará por meio das Escrituras, com o auxílio do Espírito. A Palavra de Deus nunca deixará de guiá-lo, contanto que seja tratada de maneira correta e responsável. No caso de Filipe, ainda não havia uma Bíblia completa, por isso o Espírito Santo interveio de forma mais direta:

> Então o Espírito disse a Filipe: "Aproxime-se e acompanhe a carruagem".
> Filipe correu até a carruagem e, ouvindo que o homem lia o profeta Isaías, perguntou-lhe: "O senhor compreende o que lê?".
> O homem respondeu: "Como posso entender sem que alguém me explique?". E convidou Filipe a subir na carruagem e sentar-se ao seu lado.
>
> Atos 8.29-31

Filipe obedeceu e aproximou-se do etíope, como que perguntando: "Você está lendo as palavras, mas consegue de fato entender o que está lendo?". A resposta do homem revela admirável vulnerabilidade: "Como posso entender sem que alguém me explique?". O que o eunuco queria? Queria um intérprete. Ele admitiu: "Estou lendo as palavras, mas não sei o que elas querem dizer. Preciso que você me ajude; venha sentar-se ao meu lado".

Não é uma história maravilhosa? Filipe viu nisso uma oportunidade preparada por Deus. Subiu na carruagem e olhou para o rolo que o homem estava lendo:

> Era esta a passagem das Escrituras que ele estava lendo:
>
> "Ele foi levado como ovelha para o matadouro;
> como cordeiro mudo diante dos tosquiadores,
> não abriu a boca.
> Foi humilhado e a justiça lhe foi negada.
> Quem pode falar de seus descendentes?
> Pois sua vida foi tirada da terra".
>
> Atos 8.32-33

Quando estava em Jerusalém, o eunuco havia obtido um rolo de Isaías e, no caminho de volta para casa, abriu-o em Isaías 53.7-8. É bem provável que ele nunca tivesse ouvido aquelas palavras. Mas o que elas significavam? Quem era o "ele" referido na profecia? Observe a pergunta do eunuco: "Diga-me, o profeta estava falando de si mesmo ou de outro?" (At 8.34).

Não é uma ótima pergunta? Aquele homem queria sinceramente saber a resposta. Acaso Isaías estava falando de si mesmo na terceira pessoa, ou seja, que ele próprio seria como uma ovelha levada ao matadouro? Ou estava falando de outra pessoa? Filipe, que sabia a resposta, deve ter pensado: "Ah, Senhor, tu és bom. Lá estava eu em Samaria, sem ideia do que estava acontecendo em Gaza, e tu me conduziste até aqui, para esta carruagem, a fim de que eu me sentasse ao lado deste homem. Agora tenho o privilégio de contar a ele sobre ti, o Senhor, o Cordeiro que foi morto".

Filipe sabia que Isaías 53 fazia referência ao Messias que sofreria e morreria. Ele explicou isso ao eunuco e, mais tarde, o batizou. O eunuco completou o ciclo. Quando começou a ler, ele não conhecia Jesus pessoalmente, mas quando terminou a leitura o Senhor já havia se tornado seu Salvador.

Como? Filipe havia interpretado as Escrituras de maneira cuidadosa e adequada para ele.

Suponha que eu esteja em uma igreja de fala hispânica e o orador esteja pregando em espanhol. Fui até lá acompanhado de um amigo bilíngue, ao passo que eu só falo inglês. Imagine que o orador fala alguma coisa e, em resposta ao que foi dito, as pessoas riem. Em seguida, ele diz outra coisa e a reação é "oh!" — fica claro que algo surpreendente foi dito. A plateia está entendendo a mensagem, enquanto eu estou ali com o olhar perdido. Então, meu amigo se inclina na minha direção e diz:

— Você entende o que está ouvindo?

— Não, não entendo — respondo. — Preciso de um intérprete para me explicar o que está sendo dito.

Meu amigo então traduz a mensagem, possibilitando assim que eu entenda.

A compreensão do contexto

A interpretação das Escrituras tem a ver com a compreensão do que foi escrito. Isso pode parecer simples, até que você comece a explorar a Bíblia por conta própria. A observação é como a escavação, que envolve cavar o texto de modo a formar a base do pensamento. A interpretação é o passo seguinte do processo, que envolve a construção do prédio. Depois de ter cavado fundo e colocado a terra de lado, é hora de seguir para o próximo estágio: determinar o que o texto quer dizer. De repente, porém, deparamos com duas barreiras. Quais são elas?

1. *A barreira da linguagem.* O objetivo da interpretação é entender o que o autor original quis dizer. Tenha em mente que as primeiras pessoas a registrarem a Palavra de Deus não falavam nosso idioma. As Escrituras do Antigo Testamento foram escritas principalmente em hebraico, com algumas seções registradas em aramaico. Contudo, a maioria de nós não lê nem hebraico nem aramaico. Assim, a Bíblia que usamos precisa ser o mais fiel possível ao texto original. A versão em língua inglesa que prefiro usar quando estudo é a New American Standard Version (NASV). É uma das traduções mais literais, e aprecio sua fidelidade às línguas originais. Depois de terminar de

estudar, quando chega a hora de apresentar uma mensagem, prefiro usar a New Living Translation (NLT), que é uma versão confiável e de fácil leitura.

O Novo Testamento foi escrito originalmente em grego. Se o grego não é a sua língua materna e se você não estudou o idioma, então precisará de uma versão da Bíblia na sua língua que seja o mais próximo possível do grego. Mais uma vez, recomendo a NASV para estudo e a NLT para leitura.[1]

2. *A barreira da cultura*. As pessoas dos tempos bíblicos não viviam da mesma maneira que nós vivemos hoje. Os costumes relacionados ao casamento no primeiro século não eram iguais aos nossos no século 21. As crianças nos dias de Jesus não eram criadas como o são hoje. Alguns aspectos do trabalho eram diferentes naquela época. Ocorreram inúmeros eventos culturais distintos na história humana desde que a Bíblia foi escrita. Portanto, para interpretá-la corretamente, precisamos levar em conta as muitas diferenças culturais. Isso exige uma pesquisa cuidadosa.

   Considere as palavras do estudioso Bernard Ramm: "As pessoas de mesma cultura, mesma idade e mesma localidade geográfica entendem umas às outras. [...] Mas quando o intérprete está distanciado do autor do ponto de vista cultural, histórico e geográfico [...] a tarefa de interpretação já não é tão simples. Quanto maiores forem [...] as divergências, mais difícil é a tarefa da interpretação". Ele continua: "A divergência mais óbvia é a da *linguagem* [...]. Também existe a *lacuna cultural* entre o nosso tempo e os tempos bíblicos".[2]

No primeiro século de nossa era, Paulo falou sobre a necessidade de as mulheres terem a cabeça coberta na igreja. Elas não deveriam ir à adoração sem cobrir a cabeça. Se uma mulher lesse isso hoje, poderia pensar: "Preciso sair e comprar vários chapéus para ir à igreja. E não devo cortar o cabelo porque Paulo também escreve sobre isso". Essas são questões culturais com as quais devemos lidar quando interpretamos as Escrituras. É fácil perceber como as pessoas foram desencaminhadas e se tornaram legalistas em relação a certos aspectos das Escrituras porque não chegaram às conclusões corretas em suas interpretações culturais.

Ramm prossegue dizendo: "Métodos agrícolas são diferentes. Sistemas legais são diferentes. Sistemas militares são diferentes. É muito útil estudar tudo isso ao interpretar as Escrituras. E depois tem a geografia. A compreensão de muitas passagens das Escrituras depende de algum entendimento da história. Se a geografia é o cenário das Escrituras, a história é o terreno".[3]

Precisamos ser estudantes atenciosos dos contextos linguístico e cultural da Bíblia. Felizmente, existem muitas ferramentas disponíveis para nos ajudar a interpretar as Escrituras. Se você souber onde procurar, há recursos proveitosos disponíveis *on-line*, além de diversos programas de computador e aplicativos. Essas ferramentas podem ajudá-lo a realizar um trabalho sério de interpretação bíblica. Você não precisa ir para o seminário ou aprender outro idioma, mas precisa, sim, de ferramentas e recursos confiáveis.

Existem algumas perguntas cruciais que precisamos fazer ao interpretar a Bíblia a fim de garantir que o fazemos de maneira responsável e precisa. Um bom ponto para começar é pela pergunta "Qual é o cenário?". Cada versículo tem um contexto, incluindo o primeiro versículo da Bíblia. Quando começamos a ler no meio de um parágrafo, como fizemos em Atos 8.26, precisamos ver o que vem antes e depois. Devemos enquadrar os versículos que estamos estudando em seus contextos adequados. Se não o fizermos, logo estaremos deslizando pela rampa escorregadia do erro. O contexto nos ajuda a permanecermos fiéis ao significado correto.

SUGESTÕES DE FERRAMENTAS DE INTERPRETAÇÃO PARA COMPUTADORES

Logos Bible Software

Este programa de computador é uma biblioteca digital de livros de pesquisa, incluindo comentários, dicionários, Bíblias e atlas: <www.logos.com>.

Olive Tree

Este aplicativo pode ser usado em diversos dispositivos digitais e inclui recursos grátis e outros para compra: <www.olivetree.com>.

Bible Study Tools

Este *site* gratuito oferece muitos recursos úteis para estudo bíblico, incluindo comentários, concordâncias e enciclopédias: <www.biblestudytools.com>.

Atenção aos gêneros literários

Outra pergunta importante a fazer quando estamos interpretando as Escrituras é: "Que tipo de literatura estamos lendo?". A história de Atos 8 é chamada de *narrativa*. Ela conta uma história maior, interligando pessoas, eventos e grandes ideias. Cada história em particular é parte da narrativa geral.

A Bíblia apresenta vários gêneros literários, incluindo as *parábolas* no Novo Testamento. O termo vem do grego *parabole*, que significa "lançar ao lado". Uma parábola lança uma ideia ao lado de outra com o propósito de comparação. Em Marcos 4, há o registro de uma parábola na qual um lavrador lança sua semente em quatro tipos diferentes de solo. Contudo, não devemos entendê-la literalmente. É uma parábola, lembra-se? Mas precisamos ser cuidadosos, ou enlouqueceremos tentando fazer que cada parte de uma parábola simbolize perfeitamente uma coisa ou se alinhe com as realidades de nosso mundo. Devemos extrair a verdade da parábola da melhor maneira possível, usando para isso nosso conhecimento geral das Escrituras. No caso de Marcos 4, Jesus interpreta a parábola para seus discípulos a fim de descrever o que cada um dos quatro tipos de solo representa na vida cotidiana.

Este é um bom momento para mencionar um ditado bastante útil que aprendi há alguns anos: "Se o sentido normal fizer sentido, não procure outro sentido". Se você ler uma passagem e ela fizer sentido, não procure um significado mais profundo. Você já a entende. A história do filho perdido (Lc 15.11-32) é uma parábola. O relato do bom samaritano (Lc 10.30-37) é outra parábola. A história do homem rico (Mc 10.17-31) também é. À medida que lermos essas histórias, é importante ter em mente que as parábolas são um gênero específico das Escrituras. Precisamos pisar suavemente e evitar esticar demais o significado.

Outro gênero literário que precisamos interpretar com cuidado é a *poesia*. A poesia hebraica muitas vezes recorre a uma técnica literária chamada paralelismo, na qual declarações similares são repetidas com o intuito de enfatizar e embelezar.

> O SENHOR é minha luz e minha salvação;
> então, por que ter medo?

O Senhor é a fortaleza de minha vida;
então, por que estremecer?

Salmos 27.1

Esses versos soam semelhantes? É claro que sim, porque são declarações paralelas. O segundo verso começa do mesmo modo que o primeiro, e então o amplifica ou o explica. Ao ler poesia, o coração precisa ser acionado. Há emoção envolvida. É por isso que os salmos incluem linguagem figurada, fraseado pitoresco e belos artifícios literários. Ao interpretar poesia bíblica, deixe espaço para essas características.

Considere as conhecidas palavras do salmo 23. O capítulo começa com estas palavras:

O Senhor é meu pastor,
e nada me faltará.

Agora, veja o paralelismo:

Ele me faz repousar em verdes pastos
e me leva para junto de riachos tranquilos.
Renova minhas forças
e me guia pelos caminhos da justiça;
assim, ele honra o seu nome.

Salmos 23.2-3

Todos os versículos seguintes à linha de abertura contêm pensamentos paralelos, e cada um deles oferece uma maneira de saber que não teremos falta de nada, uma vez que o Senhor é o nosso pastor.

Outro gênero literário do qual precisamos estar conscientes é o *proverbial*. Encontramos esse estilo de escrita na literatura de sabedoria, que inclui Provérbios. Esse livro está repleto de contrastes e comparações. Quando chegarmos a uma palavra contrastante, devemos lembrar que uma palavra normalmente é o oposto direto de outra. Veja este exemplo, extraído de Provérbios 1:

O temor do Senhor é o princípio do conhecimento,
mas os tolos desprezam a sabedoria e a disciplina.

Provérbios 1.7

O contraste é claro. Existem aqueles que temem o Senhor, e estes são contrastados com os tolos. É muito importante atentar para essas palavras opostas durante o exercício de interpretação.

Quando lidamos com a literatura *profética* nas Escrituras, precisamos determinar se a profecia será cumprida no futuro derradeiro ou se ela se refere ao futuro na época em que foi escrita e que, portanto, já aconteceu. Vamos dar uma olhada em uma passagem profética de Isaías:

> Por isso, o Senhor mesmo lhes dará um sinal. Vejam! A virgem ficará grávida! Ela dará à luz um filho e o chamará de Emanuel.
>
> Isaías 7.14

Isaías escreveu essas palavras cerca de setecentos anos antes do nascimento de Cristo. Para o profeta, isso se referia a algo que aconteceria no futuro. Contudo, hoje vivemos mais de dois mil anos após o nascimento de Cristo, de modo que, para nós, isso representa uma profecia realizada. Somos capazes de determinar tudo isso quando interpretamos a literatura profética.

TIPOS COMUNS DE LITERATURA BÍBLICA

Narrativa: os eventos das Escrituras

Parábolas: as histórias de Jesus que ensinam uma lição

Poesia: as letras de canções, como o livro dos Salmos

Proverbial: a sabedoria de Provérbios

Profecia: a mensagem de Deus transmitida por seus porta-vozes

Cuidado com os perigos!

Devo mencionar alguns dos perigos mais comuns da interpretação. Um deles é ler no texto aquilo que o texto não diz. Cuidado — essa é uma tentação que todos nós enfrentamos. Veja uma interpretação errônea das Escrituras que você ouvirá com frequência: "Se você tiver fé suficiente, Deus vai curá-lo de qualquer doença". A Bíblia não ensina isso. Tal ensinamento tem sido lido no texto por aqueles que querem que a Bíblia o diga. Existem orientações claras sobre cura nas Escrituras e, se as ignorarmos, ficaremos desiludidos quando o sofrimento não desaparecer.

Outro erro é pensar que um ditado tradicional vem da Bíblia, como esta declaração falsa: "Deus ajuda a quem se ajuda". Essa frase não está em parte alguma das Escrituras. Na verdade, Deus diz que ajuda o desamparado (ver Rm 5.6)!

Veja mais uma: "Deus sempre abençoa o fiel com bênçãos materiais". Não necessariamente. Embora seja verdade que toda dádiva que é boa e perfeita vem do Senhor (Tg 1.17), as bênçãos de Deus muitas vezes só chegarão no outro lado da eternidade, não aqui e agora. A frase seguinte está ligada a outra interpretação errada: "Quanto mais dinheiro você der ao Senhor, mais ele lhe dará em troca". O evangelho da prosperidade se fundamenta em promessas materialistas. A Bíblia não diz que se você der dinheiro para Deus ele lhe dará mais dinheiro em troca. Se fosse assim, toda pessoa generosa seria rica. Não é assim que funciona. Isso é interpretar o texto equivocadamente. Na verdade, Jesus elogiou uma viúva pobre que deu tudo que tinha, sem mencionar que ela tenha recebido algo em troca (Mc 12.42-44).

Outro perigo com o qual devemos tomar cuidado é a desatenção. Quando lemos as Escrituras, não podemos negligenciar termos importantes. Algumas pessoas, por exemplo, pensam que 1Timóteo 6.10 diz que "o dinheiro é a raiz de todos os males". A Bíblia, contudo, não ensina isso. O versículo na verdade diz que "*o amor* ao dinheiro é a raiz de todos os males". Se ignorarmos a primeira parte do versículo, distorceremos o significado pretendido. Isso acontece quando as Escrituras não são lidas (ou interpretadas) corretamente.

Eis outro perigo da interpretação: tornar-se excessivamente dogmático e confiante. É surpreendente perceber com que frequência isso acontece quando as pessoas começam a crescer em seu conhecimento da Bíblia. Seria muito melhor desarmar os outros com nossa humildade genuína! Podemos admitir que existe muita coisa que não conhecemos e que nunca conheceremos. Precisamos continuar sempre dispostos a aprender e a agir com graça, não importa qual seja a dimensão de nosso conhecimento da Bíblia.

O teólogo John R. W. Stott conta uma história engraçada sobre um jovem ministro presbiteriano dos Estados Unidos cujo pecado mais persistente era o convencimento. Muitas vezes ele se vangloriava de que todo o tempo de que precisava para preparar seu sermão de domingo eram os poucos passos que dava da casa paroquial até a igreja, que ficava ao lado. Cada vez mais cansados de sua arrogância, os presbíteros compraram uma nova casa para seu jovem ministro — que ficava a oito quilômetros da igreja.[4]

Não importa há quanto tempo você ensina as Escrituras: você nunca é a autoridade final. O fato é que todos estamos debaixo da autoridade da Palavra de Deus. Esse Livro que fala a todos com seus mandamentos também fala ao professor ou ao pregador. Não há lugar para arrogância. O conhecimento de Deus pode fazer que nos sintamos importantes, mas, como diz a Palavra, "o conhecimento traz orgulho" (1Co 8.1). Contudo, conhecimento misturado com compreensão genuína nos manterá humildes.

Anos atrás, alguém me ensinou que "a educação é mais bem descrita como a transição da percepção inconsciente para o reconhecimento consciente da própria ignorância". Quanto mais instruídos nos tornamos, mais percebemos a vasta quantidade de informação que *não* possuímos. Toda vez que escavo mais fundo a Palavra de Deus, mais me dou conta de quanto não sei. Fico animado por ter algum conhecimento, mas percebo que, se eu vivesse dez vidas, ainda assim nunca poderia aprender tudo que há para saber do Livro de Deus. Como um dos meus professores do seminário costumava nos lembrar na sala de aula: "Temos um texto infinito. Vocês nunca vão esgotá-lo".

Cinco perguntas essenciais

Ser um bom *chef* exige muitas habilidades diferentes: escolher uma boa receita; selecionar os ingredientes corretos; comprar os itens corretos (alguns até exóticos); organizar a cozinha; ter ferramentas, eletrodomésticos e utensílios necessários; e preparar os ingredientes. Um bom *chef* faz mais que apenas jogar a comida na panela e acender o fogo. O mesmo é válido quanto à interpretação bíblica. Apresento aqui cinco perguntas essenciais que todo intérprete sério deve fazer a si mesmo.

1. *Sou um crente no Senhor Jesus Cristo?* Deus raramente ilumina a mente dos descrentes com sua verdade. O entendimento bíblico é reservado àqueles que têm o Espírito de Deus vivendo dentro de

si. Se você ainda não entregou sua vida ao Senhor Jesus, este é um ótimo momento para fazê-lo. Você acredita que Jesus morreu por você na cruz e que pagou a pena total pelos seus pecados? Se você o aceitar, terá a certeza de que seus pecados foram perdoados e de que possui a vida eterna. Além disso, quando crer no Senhor Jesus Cristo, sua vida interior será mudada. Seus olhos, que um dia foram cegos para as verdades da Palavra de Deus, serão abertos e você será capaz de enxergar aquilo que nunca viu.

2. *Tenho paixão por conhecer a Palavra de Deus?* A palavra-chave é *paixão*. Existe um entusiasmo intenso dentro de você, que o leva a escavar mais fundo? Meu escritório fica no segundo andar de nossa casa. Há ocasiões em que subo dois degraus por vez até concluir os dezenove do piso térreo ao segundo andar; mal posso esperar para chegar lá em cima! Minha paixão por entender a Palavra de Deus está sempre acesa. Amo o desafio de poder estudar as Escrituras e então transmitir aos outros aquilo que o Senhor me revelou. É a parte mais empolgante da minha vida — o fogo nunca se extingue. Eu me sinto muito à vontade para confessar que sou um *chef* entusiasmado e motivado!
3. *Já me humilhei perante o Senhor?* Você já reconheceu sua total dependência do Senhor, compreendendo que Deus, e somente Deus, deve guiá-lo ao entendimento da Palavra?
4. *Já reservei tempo para orar?* Estudo sem oração é um processo incompleto, um esforço inútil. Existe um hino antigo que diz:

   Fala, Senhor, na quietude
   Enquanto em ti eu espero;
   Silencia meu coração para ouvir-te
   Esperançoso e sincero.

   Costumo orar assim: "Senhor, fala comigo. Ajuda-me a entender o que esta passagem está dizendo. Estou ouvindo. Estou sensível à tua verdade. Leva-me até ela. Não permitas que eu interprete mal a mensagem nem que me desvie na direção do erro".
5. *Fiz bem o meu dever de casa?* Você escavou fundo? Reservou tempo para de fato refletir sobre o versículo? Ponderou sobre as palavras?

Fez perguntas profundas? Analisou essa e outras passagens para ter certeza de que compreendeu a sabedoria do Senhor?

Mencionei antes que a preparação de uma refeição deliciosa exige tempo. Belos banquetes e refeições comemorativas não acontecem apressadamente nem por acaso. Os *chefs* envolvidos na criação de uma refeição *gourmet* têm habilidade e dedicam tempo para planejar criteriosamente e preparar diligentemente cada prato com precisão e cuidado.

O mesmo vale para a interpretação bíblica. Deus não revela sua verdade à alma apressada; você nunca se aprofundará se estiver na correria. Existe um processo e uma arte a seguir para poder interpretar bem. Assim como um *chef* conhece os melhores utensílios para usar na preparação de uma refeição, um estudante da Bíblia precisa de algumas ferramentas importantes de estudo, como mapas, concordâncias, dicionários bíblicos e comentários, que auxiliarão na execução da tarefa. A ferramenta mais importante de todas é a fé em Cristo, que nos dá a confiança de que o Espírito nos conduzirá a toda a verdade (1Co 2.10-13).

O processo, contudo, não para aqui. Os *chefs* não gastam todo o seu tempo em apenas um prato. Os sabores dos diferentes pratos precisam ser comparados, para que cada gosto complemente o outro. O mesmo acontece com a interpretação. Não podemos apenas olhar para uma passagem ou um versículo isoladamente. Precisamos entender a mensagem ao longo de toda a história das Escrituras, comparando com outras passagens relevantes a fim de garantir que estamos entendendo o texto corretamente. Isso se chama correlação. No próximo capítulo, mostrarei a você como fazer isso. Que venha o próximo prato!

Sua vez na cozinha

Preparar uma refeição nutritiva e deliciosa exige compreensão dos nutrientes. Isso também é verdadeiro para a comida espiritual: precisamos de uma compreensão cuidadosa dos versículos que estão sendo estudados. Agora é a hora de você desenvolver suas próprias habilidades e fazer experiências na interpretação.

1. Leia Romanos 12.1-2:

   Portanto, irmãos, suplico-lhes que entreguem seu corpo a Deus, por causa de tudo que ele fez por vocês. Que seja um sacrifício vivo e santo, do tipo que Deus considera agradável. Essa é a verdadeira forma de adorá-lo. Não imitem o comportamento e os costumes deste mundo, mas deixem que Deus os transforme por meio de uma mudança em seu modo de pensar, a fim de que experimentem a boa, agradável e perfeita vontade de Deus para vocês.

   Observe lenta e atentamente essas palavras, a fim de começar a entender o que elas estão dizendo. Reserve tempo para tomar nota de suas observações.

   Agora, vamos trabalhar para captar o *significado* dessa mensagem. O que Paulo quis dizer com "entreguem seu corpo a Deus"?

   A que Paulo se refere quando menciona "o comportamento e os costumes deste mundo" (ver Rm 1)?

   O que significa "a fim de que experimentem a boa, agradável e perfeita vontade de Deus para vocês"?

   Separe tempo para responder a essas perguntas. Refeições saborosas levam tempo para serem preparadas, e grandes *chefs* não são apressados. Deixe que as palavras cozinhem em fogo baixo e, logo, o bom cheiro começará a surgir.

2. Nas perguntas apresentadas no final do capítulo anterior, você fez observações sobre João 3.16 depois de ler todo o capítulo 3 do Evangelho de João. Agora é hora de verificar como a Bíblia ajuda a interpretar a si mesma. Em geral, isso acontece quando uma passagem do Novo Testamento interpreta ou explica uma passagem do Antigo. Em João 3.14-15, Jesus se refere a uma história registrada em Números 21.4-9. Leia a história de Moisés erguendo a serpente de bronze em um poste e depois faça anotações sobre como ela nos ajuda

a interpretar o que Jesus diz a Nicodemos em João 3.14-15. Se você não tiver certeza, leia novamente os versículos, tanto de João quanto de Números. Mais uma vez, reserve tempo para deixar a Escritura apurar.

3. No capítulo anterior, você fez observações sobre Filipenses 4.4-9; agora é hora de interpretar essa passagem. Releia Filipenses 1.1-30 a fim de compreender um pouco do contexto no qual Paulo escreveu aquela carta. A despeito de sua prisão, o que o apóstolo ordenou que a jovem igreja da cidade de Filipos fizesse em Filipenses 4.4-9? Por quê?

4. Você já fez observações sobre a parábola de Jesus que fala sobre o bom samaritano. Agora, dedique tempo para reler Lucas 10.25-37 e explicar o propósito de Jesus ao contar a parábola. Por que essa maneira de contar histórias é uma poderosa forma de ensinar? À medida que ler essas histórias, lembre-se de que as parábolas são um gênero específico de texto bíblico, de modo que você precisa seguir com calma ao estudá-las. Tenha o cuidado de não esticar demais o significado delas.

5. Já fizemos observações sobre a história de Daniel na cova dos leões. Voltemos agora a Daniel 6.1-28 e interpretemos a passagem. O que aprendemos sobre Deus com base nessa história? O que aprendemos sobre Daniel?

6
Comparando os sabores

A correlação do texto

Cozinhar é tanto uma ciência quanto uma forma de arte. Filés e costeletas de porco reagem ao calor de maneiras diferentes. A temperatura da grelha deve ser calculada corretamente, de modo que a comida nem queime nem fique crua. Um corte de carne cozido à perfeição científica é um triunfo culinário e um deleite para os sentidos. Tendo dito isso, a ótima preparação de um alimento também é uma arte. Saber quais temperos especiais utilizar ou simplesmente saber quanto adicionar de determinado condimento pode coroar ou arruinar uma refeição. O *chef* habilidoso sabe como misturar cada ingrediente com perfeição, e o resultado final é delicioso.

O mesmo princípio se aplica ao estudo da Palavra de Deus. Podemos sair dos trilhos quando mergulhamos em um único versículo ou em uma passagem isolada das Escrituras, alheios a outras passagens e referências que poderiam nos ajudar a entender o assunto com maior precisão. De maneira muito similar aos *chefs* que cultivam a arte de mesclar sabores, os estudantes das Escrituras devem comparar cuidadosamente o que observam e o que interpretam com outras passagens bíblicas, para que não se equivoquem nem apliquem mal aquilo que estão lendo.

Há muito a considerar quando se relacionam ordenanças do Antigo Testamento com cartas do Novo Testamento ou quando se comparam os provérbios de Salomão com as parábolas de Jesus. Cultivar a arte e a ciência da correlação das passagens da Bíblia melhorará enormemente o seu conhecimento das Escrituras.

Como lidar com a Palavra de Deus

Se a sua infância foi como a minha, a única Bíblia da qual você tinha conhecimento era a King James Version em inglês.[1] A minha não era a *New* King James, mas a edição original de 1611. (Eu não estava vivo na época, mas sei que foi publicada naquele ano.) Acostumei-me com os "tu", "vós", "porquanto", "outrossim", "caridade" em lugar de "amor" e "guardai-vos" em lugar de "tomem cuidado". Contudo, havia algumas passagens que me deixavam confuso. O versículo que dizia que Jesus julgará "the quick and the dead" [*quick* significa "rápido", mas numa acepção rara e arcaica refere-se a pessoas vivas] (2Tm 4.1) sempre me pareceu estranho. Para mim, como menino, não fazia sentido dizer que Jesus iria "julgar os rápidos e os mortos". Eu pensava: "Dá para entender 'os mortos', mas 'os rápidos' devem ser aqueles que tentarão correr mais que Jesus quando ele vier atrás deles". Foi muito tranquilizador quando descobri que o versículo se referia aos vivos e aos mortos. Uma passagem com a qual nunca me acostumei foi Atos 17.5. O contexto é que um grupo de homens odiava o que Paulo estava fazendo na cidade de Tessalônica e, por isso, arrumaram um bando de gente ruim para causar tumulto. A King James os descreve como "lewd fellows of the baser sort" [algo como "malfazejos de índole inescrupulosa"]. Não é uma tradução esquisita? Não a estou criticando; estou apenas dizendo que ela soa incomum aos nossos ouvidos modernos.

Há outra passagem que sempre me confundiu e que era constantemente incluída na minha lista de versículos da escola dominical a serem memorizados:

> Estuda para apresentar-te a Deus aprovado, um obreiro que não carece de se envergonhar, dividindo retamente a palavra da verdade.
>
> 2Timóteo 2.15 [tradução direta da King James]

Parecia ótimo, mas nunca entendi direito o que significava "dividindo retamente". Os termos certamente eram claros para aqueles que viveram no século 17, com o idioma próprio da época, mas eu acabava recitando palavras que não compreendia.

Um professor explicou o versículo da seguinte maneira: "Divide-se o Antigo do Novo Testamento". Mas isso nada tem a ver com o sentido da expressão. Mais tarde, fui ensinado que esse versículo se referia a uma divisão da Bíblia em dispensações ou eras, de Gênesis a Apocalipse. Mais uma vez, esse versículo pouco tem a ver com dispensações. Em uma conferência à qual compareci quando jovem, ouvi um professor de Bíblia explicar o seguinte: pessoas que ensinam a Bíblia dividem corretamente a verdade quando a destrincham, a dividem e então juntam tudo outra vez. Contudo, também não é isso o que 2Timóteo 2.15 está dizendo.

A palavra-chave aqui é o verbo "dividir", que deriva do grego *orthotomeo*. Trata-se, na verdade, de uma combinação de dois termos. A primeira é *orthos* (de onde vêm nossas palavras *ortodoxo* e *ortopédico*), que significa "direito" ou "correto". *Temno* é um verbo que significa "cortar". Era usado no primeiro século em referência ao ato de cortar ou abrir caminho por entre uma floresta. O versículo está basicamente dizendo que devemos abrir um caminho reto até a verdade ao permitirmos que ela nos fale com clareza. É isso o que significa a expressão "dividindo retamente". Gosto muito de como essa frase é usada na New American Standard Version: "manejando com precisão a palavra da verdade". Isso é muito próximo da ideia do original grego.

Se há um versículo que consegue resumir meu chamado, é este. Meu objetivo como expositor é manejar com precisão a Palavra da Verdade. Prestarei contas a Deus por aquilo que faço com sua Palavra. Tenho me colocado perante congregações há mais de cinquenta anos e, quando abro a Bíblia, tenho a responsabilidade de garantir que abrirei na vida um caminho reto para a verdade, de modo que todos os que ouvirem sejam levados a entender a verdade.

Cuidado!

Ao manejar a Palavra de Deus, é importante ter em mente que existem mestres não confiáveis e enganadores que não nos levam à verdade. Eles pegam uma parte de um versículo e fazem que diga algo que o versículo nunca quis dizer, ou então deturpam o significado de um versículo inteiro. Eles não abrem um caminho reto; eles distorcem a verdade, levando-nos a acreditar que a Bíblia ensina algo que, na realidade, não ensina.

Em seu livro *Toxic Faith* [Fé tóxica], Stephen Arterburn compartilha a seguinte história sobre sua avó:

> Minha avó faleceu em 1989. Se houve uma pessoa de fé e convicção forte, essa pessoa foi a Nany. Completamente sozinha, depois do suicídio de meu avô ela criou seus três filhos, incluindo minha mãe. Nunca desistiu, nunca deixou de acreditar, nunca perdeu a fé. Para ela, a morte era apenas um passo para um lugar melhor. Minha avó não tinha medo da morte. [...]
>
> No funeral da Nany, o pastor falou de uma das frustrações que minha avó teve de sofrer: uma auditoria da Receita Federal. A Receita criou grandes dificuldades para se certificar de que alguém que havia ganhado cada centavo de um total de oito mil dólares por ano pagasse o valor devido de seu imposto de renda. Enquanto outros escondiam milhões de dólares do governo federal, agentes especiais foram extremamente duros no caso de Pearl Russell, a fim de garantir que o país não fosse lesado em algumas centenas de dólares por uma doce senhora de Athens, Texas.
>
> A questão era a grande dedução da Nany para doações beneficentes. O governo não conseguia acreditar que uma mulher que ganhava tão pouco pudesse doar 35% dos seus rendimentos, e, em alguns anos, 40% para a igreja, e ainda assim ter dinheiro sobrando para pagar suas contas. A Receita finalmente recuou quando ela desencavou do sótão todos os canhotos dos cheques enviados a pastores da televisão, pregadores do rádio e para sua igreja local. Os agentes não entenderam, mas ficaram convencidos de que ela havia doado cada centavo que havia deduzido. [...]
>
> Não havia nada de tóxico na fé da nossa Nany. Ela nunca doou a um pastor em particular, mas sempre para um ministério, como um lar de crianças ou um projeto de alimentação de moradores de rua. Quando dava um dólar, ela sabia como aquele ministério iria gastá-lo.
>
> Pelo menos ela achava que sabia.
>
> Alguns dos indivíduos para quem ela deu seu dinheiro não eram tão admiráveis. A fé tóxica que aqueles homens tinham privou minha avó da grande bênção de saber que seu dinheiro havia sido usado para promover o reino de Deus. Eles pegaram o dinheiro dela e o gastaram consigo mesmos e em seus grandes planos, esquemas que nada tinham a ver com o desejo de minha avó de contar ao mundo sobre o amor de Deus ou alimentar e vestir órfãos.

> Alguns desses pastores que ela tão fielmente apoiou terminaram na cadeia, divorciaram-se, foram presos por exposição indecente ou caíram em algum outro pecado público. Eles proclamavam uma fé pela televisão ou pelo rádio, mas viviam outra coisa. Não se intimidavam em pedir à minha avó e a outras pessoas como ela que sacrificassem o dinheiro da comida para que eles pudessem bancar o combustível para seus jatinhos particulares e voar para Palm Springs para um passeio de final de semana. O que eles fizeram foi desonesto, injusto — e muito humano. O tipo de fé que eles viviam parecia radicalmente diferente daquela que proclamavam nas transmissões de rádio e televisão.
>
> Esses homens e mulheres infiéis que gastaram o dinheiro da Nany colocavam mais fé em si próprios que em Deus. Confiavam mais em suas manipulações que na providência divina. [...] Sua fé era tóxica e envenenou muitos que confiaram neles. Isso distorceu a visão de Deus sustentada por muitos que viram como esses pastores midiáticos caíram da graça. [...] Esses cínicos produziram uma visão tóxica e doentia de fé com base nos exemplos tóxicos que viram na mídia.[2]

Que tragédia! Aqueles mestres falsos e gananciosos distorceram a Palavra de Deus e, infelizmente, não foram os únicos. Alguns pregadores e professores distorcem o significado das Escrituras para manipular seguidores incautos.

Poucas semanas atrás, ouvi um falso mestre diante de uma audiência na televisão dizer: "Nossa adoração não tem a ver com Deus; tem a ver *conosco*. Deus quer que sejamos felizes. Nós nos reunimos para sermos felizes. Isso não tem a ver com Deus; tem a ver *conosco*!". Essa mentira descarada se baseia em uma visão distorcida das Escrituras. Se você não souber como manejar bem a Palavra de Deus, é fácil ser levado pelo ensinamento que se reveste do nome da religião.

Obtemos discernimento quando fazemos um estudo sério das Escrituras. Amadurecemos à medida que crescemos no conhecimento daquilo que Deus de fato disse. Abrimos o caminho reto na direção do nosso destino: exatamente o que Deus diz, que é exatamente o que ele quer dizer. A Palavra de Deus nos foi revelada e preservada de maneira sobrenatural para que possamos examiná-la e entendê-la com precisão. Como veremos, uma das maneiras mais importantes de realizar esse objetivo é comparar Escritura com Escritura. Com isso, diminuirá a probabilidade de nos desviarmos para o erro.

O que é correlação?

A primeira parte do estudo bíblico que abordamos foi a observação. Em seguida, consideramos a interpretação. Ambas são essenciais para alcançar o entendimento da Bíblia. Mas existe outra parte nesse processo: a *correlação*. Ao comparar um texto bíblico com outros, preceito a preceito, linha a linha, a verdade como um todo começa a emergir. A correlação amplia nossa compreensão do que a Bíblia está ensinando. Vemos, por exemplo, que Mateus 6.5-7 trata da oração, mas a Bíblia diz algo mais sobre oração em Tiago 4.3 e em Salmos 66.18. A Bíblia inclui ainda mais sobre oração em Filipenses 4.6-7.

CORRELAÇÃO

Comparar um texto bíblico com outros, preceito a preceito, linha a linha, a fim de ampliar nossa compreensão do que a Bíblia está ensinando.

Os mais seguros estudantes da Bíblia são aqueles que reservam tempo para comparar um texto bíblico com outras passagens. Quando buscamos uma compreensão mais ampla da verdade, essa disciplina impede que caiamos no erro.

O falecido Donald Grey Barnhouse, um dos maiores mestres em Bíblia do passado recente, enfatizava a importância da correlação: "Muito raramente é necessário sair da Bíblia para explicar algo que esteja na Bíblia".[3] Isso é verdade porque a Bíblia é o único livro perfeitamente correlacionado do mundo. Não há contradições. Embora os cínicos tentem nos convencer do contrário, a inerrância das Escrituras nos garante que podemos confiar na Palavra de Deus. Isso explica por que a confiabilidade da Bíblia é debatida por sucessivas gerações. Essa sempre será *a* questão crucial. Elimine a inerrância das Escrituras e ficaremos à deriva. Felizmente, a Palavra de Deus permanece firme e sólida.

O que temos nas Escrituras são 66 partes individuais de um livro perfeitamente coordenado, escrito por quarenta escritores humanos com um Autor divino, o Espírito Santo, que supervisionou a preservação e a integração do texto. Tenho estudado a Bíblia há bem mais de cinquenta anos e ainda não encontrei nela uma contradição ou informação errada. Não há sequer vestígio de conselho errôneo, nem uma só advertência desimportante. A Bíblia está repleta apenas de verdade confiável. Como estudantes da Bíblia, nossa tarefa é abrir caminho reto para ela, sem distorcê-la e sem nos desviar dela.

Durante os próximos parágrafos, faremos a correlação do que acabamos de ler em 2Timóteo 2.15 com a primeira carta de Paulo a Timóteo. Em 1Timóteo 1.5, o apóstolo declara seu propósito como alguém que ensina a verdade:

> O alvo de minha instrução é o amor que vem de um coração puro, de uma consciência limpa e de uma fé sincera.

Paulo começa declarando seu propósito de maneira clara e específica. Esse versículo significa exatamente o que ele diz. Paulo queria que as pessoas fossem cheias do amor que vem de um coração puro, que tivessem uma consciência limpa e uma fé sincera. Que coisa magnífica!

O versículo seguinte declara:

> Alguns, porém, se desviaram dessas coisas e passam o tempo em discussões inúteis.
>
> 1Timóteo 1.6

Note como Paulo começa: "Alguns, porém". Lembra-se do que aprendemos sobre o valor da observação? Toda palavra é importante. *Porém* é uma palavra de contraste. Ela apresenta uma ideia que contrasta com aquilo que Paulo acabou de escrever. Tendo declarado o propósito da instrução, ele menciona outros que "se desviaram dessas coisas". Que coisas? As coisas que Paulo havia acabado de mencionar: um coração puro, uma consciência limpa e uma fé sincera. Então, Paulo faz esta reprimenda adicional:

> [Eles] passam o tempo em discussões inúteis. Querem ser conhecidos como mestres da lei, mas não sabem do que estão falando, embora o façam com tanta confiança.
>
> 1Timóteo 1.6-7

Paulo não hesita quando descreve mestres que agem errado. Eles aparentam saber do que estão falando, mas quando analisamos a verdade percebemos que, se tivéssemos acreditado no que eles ensinaram, teríamos nos desviado. As consequências são terríveis, assim como foi para o neto da mulher generosa sobre a qual lemos no início deste capítulo, que em nenhum momento percebeu que as doações financeiras dela estavam apoiando ensinamentos falsos.

Correlacionar as Escrituras é algo de valor inestimável. Quando comparamos cuidadosamente uma passagem bíblica com outra, estamos manejando com precisão a Palavra de Deus.

Ferramentas úteis para fazer a correlação

Apresento cinco ferramentas que o ajudarão em seu aprendizado da correlação de versículos (note que alguns desses recursos já foram mencionados no capítulo 3):

1. *Uma boa Bíblia de estudo.* Escolha a Bíblia e a versão que preferir. Uma opção que recomendo é *A Bíblia Anotada e Expandida*, de Charles Ryrie, que disponibiliza ao leitor informações confiáveis. Você também pode considerar a *Bíblia de Estudo NVT*, que é sucinta e fácil de entender. Seja qual for a Bíblia escolhida, certifique-se de que ela contém espaço suficiente para escrever notas nas margens e que traga comentários proveitosos no rodapé da página.
2. *Uma concordância.* Essa ferramenta é como um índice da Bíblia, uma vez que apresenta uma lista alfabética de todas as palavras das Escrituras. Sem uma concordância, você se veria obrigado a pesquisar arbitrariamente de um versículo para outro. É importante que sua concordância seja da mesma versão da Bíblia que estiver usando, para que as palavras combinem. Se, por exemplo, estiver procurando a palavra *amor* em uma concordância, mas a sua versão bíblica usa *caridade*, talvez você não encontre os resultados que procura. Se você estiver usando a Nova Versão Internacional, precisará de uma concordância da NVI. Também existem muitas versões digitais disponíveis. O Logos Bible Software está disponível para venda e contém uma biblioteca digital de Bíblias e livros de pesquisa, em várias línguas. Você pode procurar qualquer palavra

em qualquer uma das versões bíblicas incluídas no programa. O aplicativo Olive Tree pode ser comprado para vários *smartphones* e *tablets*. Ele permite que você pesquise qualquer termo de qualquer versão bíblica disponível no *app*. Também existem *sites* na internet como <biblestudytools.com> e <biblegateway.com>, que permitem pesquisas gratuitas de palavras e frases. Todas essas ferramentas são valiosas para o estudo bíblico.

3. *Um dicionário bíblico.* Trata-se de uma ferramenta útil para a explicação do contexto e da história bíblica. Sem ele, você terá uma compreensão incompleta do que está estudando. Duas fontes confiáveis são o *Dicionário Bíblico Unger* e o *Zondervan Bible Dictionary*. Você também pode pedir indicações a um funcionário da sua livraria cristã ou usar recursos *on-line* como <biblestudytools.com> e <biblegateway.com>.
4. *Um manual bíblico em um volume.* Um manual bíblico fornece uma enciclopédia simples e concisa das Escrituras. Apresenta resumos breves, ajudando a cobrir vários assuntos em um curto espaço de tempo. Existem muitos manuais confiáveis à disposição, mas um que uso é o *Manual Bíblico de Halley*.
5. *Comentários.* Sempre uso comentários quando preparo mensagens ou aulas, mas só recorro a eles depois de ter feito meu próprio estudo das Escrituras. Os comentários de autores qualificados fornecem percepções úteis que você talvez não alcance por si só.

Essas ferramentas são como os utensílios básicos de um *chef* na cozinha. Sem elas, preparar uma refeição leva muito mais tempo e esforço, e os resultados talvez não sejam tão recompensadores.

Correlação de passagens sobre manter a fé

Analisemos outro exemplo de correlação, desta vez nos textos do apóstolo Pedro. Com o intuito de que seus leitores continuassem a crescer firmes na fé mesmo depois de sua morte, ele escreveu a seguinte mensagem:

> Portanto, sempre lhes lembrarei estas coisas, embora já as saibam e estejam firmes na verdade que lhes foi ensinada.
>
> 2Pedro 1.12

Pedro ensinou fielmente a verdade de Deus. Ele foi direto aos rolos do Antigo Testamento e extraiu informação deles. Ao fazê-lo, levou seus leitores à verdade.

> E é apropriado que, enquanto eu viver, continue a lembrá-los. Pois nosso Senhor Jesus Cristo me mostrou que, em breve, partirei desta vida, por isso me esforçarei para garantir que vocês sempre se lembrem destas coisas depois de minha partida.
>
> 2Pedro 1.13-15

Um pouco mais adiante, no mesmo capítulo, Pedro menciona os profetas:

> Acima de tudo, saibam que nenhuma profecia nas Escrituras surgiu do entendimento do próprio profeta.
>
> 2Pedro 1.20

A versão Almeida Revista e Atualizada usa os seguintes termos no mesmo versículo: "Nenhuma profecia da Escritura provém de particular elucidação". Em outras palavras, o profeta não dava origem à sua mensagem e depois a escrevia; era Deus quem lhe dava a mensagem. Ela não derivava de sua própria iniciativa; Deus revelava a informação de maneira sobrenatural. E Pedro, como um dos escritores inspirados das Escrituras, foi escolhido por Deus para ser um desses escritores originais. O final do versículo explica o papel do Senhor na comunicação da verdade ao seu povo:

> Esses homens foram impulsionados pelo Espírito Santo e falaram da parte de Deus.
>
> 2Pedro 1.21

Pedro estava falando sobre os profetas do Antigo Testamento. Ele correlacionou o que os profetas disseram em gerações passadas e aplicou isso ao seu próprio texto.

Examinemos a frase "impulsionados pelo Espírito Santo". O termo traduzido por *impulsionados* é a interessante palavra grega *pheró*, que significa "carregar, levar, conduzir". (A propósito, descobri essa definição no meu dicionário bíblico.) É um termo náutico usado para descrever um navio ou barco que perdeu o leme e as velas. Como resultado, está à mercê do mar, com o vento e as ondas movendo a embarcação independentemente de seu próprio controle. Os profetas do passado que falaram e escreveram a verdade de Deus fizeram isso à parte de suas próprias habilidades — o Espírito Santo conduziu e capacitou cada um deles.

Leia a passagem novamente. Vamos "abrir um caminho reto".

> Acima de tudo, saibam que nenhuma profecia nas Escrituras surgiu do entendimento do próprio profeta, nem de iniciativa humana. Esses homens foram impulsionados pelo Espírito Santo e falaram da parte de Deus.
>
> 2Pedro 1.20-21

Os profetas foram sobrenaturalmente *impulsionados* ou *movidos* por Deus para registrar a mensagem dele. Temos o direito de interpretar as Escrituras, mas não temos o direito de distorcê-las. As Escrituras representam as palavras originais e verídicas de Deus, portanto não ousamos distorcer seu significado!

Na Idade das Trevas, o clero insistia que o homem ou a mulher comum não poderiam entender o que as Escrituras ensinavam. A versão bíblica usada na época estava em latim, idioma que apenas pessoas com alto nível de instrução eram capazes de ler. A Bíblia era frequentemente acorrentada ao púlpito, para que fosse lida apenas pelos sacerdotes. Durante a Reforma Protestante, espalhou-se a verdade bíblica de que o próprio Jesus intercede por nós perante o Pai. Não precisamos confiar em um sacerdote humano para entender a verdade de Deus; somos qualificados para buscá-la por conta própria. Isso é confirmado em Hebreus 4:

> Visto, portanto, que temos um grande Sumo Sacerdote que entrou no céu, Jesus, o Filho de Deus, apeguemo-nos firmemente àquilo em que cremos. Nosso Sumo Sacerdote entende nossas fraquezas, pois enfrentou as mesmas tentações que nós, mas nunca pecou. Assim, aproximemo-nos com toda confiança do trono da graça, onde receberemos misericórdia e encontraremos graça para nos ajudar quando for preciso.
>
> Hebreus 4.14-16

Graças a esses três versículos, descobrimos que Jesus nos representa perante Deus. Não oramos por intermédio de um pastor ou de um sacerdote. Agora que Cristo veio e cumpriu a lei, podemos ir diretamente a Deus. Da mesma forma, não precisamos confiar em um líder religioso para descobrir o que a Bíblia ensina. Podemos ler e entender o Livro de Deus por nós mesmos. Isso significa que estamos livres da obrigação de confiar em um ser humano para receber alimento bíblico. Podemos comparar um versículo com outro por nossa própria conta e, dessa forma, ser levados à verdade. Podemos abrir um caminho reto rumo à compreensão da verdade de Deus.

Agora, retornemos para 2Pedro 3 e correlacionemos esses textos bíblicos.

> E lembrem-se de que a paciência de nosso Senhor permite que as pessoas sejam salvas. Foi isso que nosso amado irmão Paulo lhes escreveu, com a sabedoria que lhe foi concedida.
>
> 2Pedro 3.15

Percebe como isso é notável? Pedro está se referindo a outro autor das Escrituras, Paulo. Observe o que ele diz:

> Foi isso que nosso amado irmão Paulo lhes escreveu, com a sabedoria que lhe foi concedida. Ele trata dessas questões em todas as suas cartas. Alguns de seus comentários são difíceis de entender, e os ignorantes e instáveis distorceram suas cartas, como fazem com outras partes das Escrituras. Como resultado, eles próprios serão destruídos.
>
> 2Pedro 3.15-16

Há conforto na honestidade de Pedro. Ele tinha dificuldade de entender os escritos de Paulo, assim como, às vezes, nós também temos dificuldade de entender. Estamos em boa companhia! Pedro está dizendo: "Eu leio algumas coisas que Paulo escreveu, e para mim é difícil entendê-las".

Preste atenção ao que Pedro está dizendo sobre os escritos de Paulo: as pessoas distorceram suas palavras. O verbo "distorcer" vem do grego *strebloo*. Em seu maravilhoso léxico, Walter Bauer diz que essa palavra significa "deturpar uma declaração de modo que o resultado tenha um significado errado".[4] Em um comentário sobre 2Pedro, William Barclay diz: "A doutrina da *graça* de Paulo foi distorcida e transformada em desculpa e razão para pecar (Rm 6). A doutrina da *liberdade* cristã foi distorcida e transformada em desculpa para a licenciosidade não cristã (Gl 5.13). A doutrina de Paulo sobre a *fé* foi distorcida e transformada em um argumento de que a atitude como cristão não era importante, como vemos em Tiago (Tg 2.14-26)".[5] Em outras palavras, as pessoas interpretaram erroneamente as palavras de Paulo para torná-las mais fáceis de engolir.

Já me disseram que meu ensinamento sobre a graça levará pessoas a pecar. Alguns acreditam que sou culpado de deturpar o significado da graça conforme revelado nas Escrituras. Na verdade, tenho permanecido fiel à Palavra de Deus, mas algumas pessoas têm medo da graça porque ela dá a todos os crentes a liberdade de fazer escolhas. Infelizmente, há quem vá longe demais e, como resultado, sofre as consequências de viver desregradamente. Há quem distorça os escritos de Paulo para dizer a mesma coisa. Contudo, não é isso o que ele está dizendo. Pode ser fácil escorregar para a heresia se não formos cuidadosos; precisamos ser vigilantes e guardar a verdade.

Barclay também afirma: "G. K. Chesterton disse certa vez que a ortodoxia era como caminhar por uma ponte estreita; um passo para qualquer um dos lados era um passo para o desastre. Jesus é Deus e homem; Deus é amor e santidade; o cristianismo é graça e moralidade; os cristãos vivem neste mundo e no mundo da eternidade. Basta dar ênfase desmedida a qualquer lado dessas grandes verdades de dois lados e imediatamente surgirá uma heresia destrutiva".[6]

São textos como esse que me levam a orar: "Senhor, peço que me mantenhas equilibrado. Que eu não tenha medo de pregar sobre a graça; ajuda-me simplesmente a pregar sobre ela de maneira correta, para que as pessoas saibam que estão livres das exigências legalistas de outros, mas que não presumam que, por isso, estão livres para fazer o que quiserem". Precisamos do tipo de liberdade que nos livra do legalismo e nos guia à obediência a Cristo e às maravilhosas verdades estabelecidas nas Escrituras (Gl 5.13).

Correlação de passagens sobre oração

Para mostrar como a correlação funciona do início ao fim, passemos pelo processo juntos, analisando o tópico da oração. Primeiro, vejamos o que Jesus ensinou a seus discípulos sobre o assunto:

> Jesus respondeu: "Eu lhes digo a verdade: se vocês tiverem fé e não duvidarem, poderão fazer o mesmo que fiz com esta figueira, e muito mais. Poderão até dizer a este monte: 'Levante-se e atire-se no mar', e isso acontecerá. Se crerem, receberão qualquer coisa que pedirem em oração".
>
> Mateus 21.21-22

Uau! Ficaríamos muito felizes se todo o ensinamento sobre oração parasse aqui, como se a oração consistisse apenas em pedir a Deus algo e, então, receber exatamente o que pedimos. Mas isso não é tudo que a Bíblia tem a dizer sobre o assunto. Somos alertados em 1João 5 a pedir aquilo que agrada a Deus, não a nós mesmos.

> Estamos certos de que ele nos ouve sempre que lhe pedimos algo conforme sua vontade. E, uma vez que sabemos que ele ouve nossos pedidos, também sabemos que ele nos dará o que pedimos.
>
> 1João 5.14-15

Tiago vai além. Ele escreve que devemos orar com motivação pura e correta:

> E, quando pedem, não recebem, pois seus motivos são errados; pedem apenas o que lhes dará prazer.
>
> Tiago 4.3

Em outras palavras, precisamos examinar nossos motivos.

O texto de Salmos 66.18 nos traz a seguinte advertência sobre oração quando temos em nossa vida pecados não confessados:

> Se eu não tivesse confessado o pecado em meu coração,
> o Senhor não teria ouvido.

Precisamos correlacionar as palavras de Jesus em Mateus 21 com a instrução de João em 1João 5, e também com a advertência de Tiago e o conselho do salmista. É isso o que evita que façamos declarações falsas baseadas em interpretações de um único versículo. A correlação mostra que o ensinamento proclamado pelos expoentes da teologia da prosperidade é incorreto e, portanto, não confiável. A Palavra de Deus correlacionada com a Palavra de Deus nos mantém no caminho reto e estreito do pensamento reto e da vida reta.

Cuidado com a obscuridade

Tome cuidado com a construção de uma doutrina que toma por base um único versículo — especialmente um versículo obscuro. Vejamos um exemplo. Quando o rei Saul chegou ao final de sua vida, estava deprimido e não sabia a quem procurar, de modo que visitou uma médium (1Sm 28). A médium de En-Dor invocou uma pessoa dos mortos por meio do poder do diabo. Quando ler sobre isso, sua reação pode ser algo como: "Puxa, veja só!". Mas cuidado para não construir toda sua doutrina do diabo e dos demônios com base em uma seção obscura das Escrituras. A correlação nos encoraja a pesquisarmos outras passagens para estabelecer nosso alicerce doutrinário em relação a Satanás e suas forças sinistras, os demônios. O que me livra da confusão? A correlação.

Quando o filme *O exorcista* foi lançado, todo tipo de informação esquisita sobre Satanás e os demônios começou a circular. Depois de assistir ao filme, as pessoas temiam que demônios pudessem estar à espreita em cada esquina. Decidi aprender sobre o assunto em primeira mão, por isso fiz um estudo amplo sobre demônios e o diabo nas Escrituras. Sabe o que aconteceu depois que fiz aquele estudo? Perdi o medo do diabo, porque aprendi que seu poder é limitado. Conhecer o que as Escrituras de fato dizem me ajudou a combater os comentários confusos sobre o diabo e os demônios que eram lançados sobre toda parte. O que me livrou da confusão? A correlação.

Como fiz esse estudo sobre os demônios? Simplesmente abri minha Bíblia e, com a ajuda da minha concordância, verifiquei cada referência sobre demônios no Novo Testamento. Em cada passagem, observei quem era a vítima e quem era o atormentador. Prestei atenção à experiência da vítima e ao método que Jesus usou para expulsar os demônios. Anotei a resposta do demônio e o resultado final. Você não precisa ser um acadêmico bíblico para fazer isso, mas precisa, sim, estudar e pensar — e deixar que as

Escrituras falem por si. Sou grato por ter feito esse estudo! Ao fazê-lo, eu me armei contra a superstição e a informação falsa.

CONTATO COM DEMÔNIOS NO NOVO TESTAMENTO

	Lucas 4.40-41	Marcos 5.1-15	Marcos 9.14-29
Vítima	Muitos que estavam enfermos	Um homem	O filho de um homem
Atormentador	Demônios	Demônios; espíritos impuros; "Legião"	Espírito impuro
Experiência da vítima	Possuídos por demônio	Vivia perto das sepulturas; possuía força sobre-humana; suicida	Mudo; suicida; sofria convulsões desde a infância
Método de expulsão dos demônios	Jesus colocou a mão sobre a vítima e expulsou e repreendeu os demônios.	Jesus perguntou aos demônios qual era o seu nome ("Legião"). Ele os expulsou do homem e lhes concedeu o pedido para que fossem enviados a uma manada de porcos.	Jesus repreendeu o espírito impuro e curou o menino.
A reação dos demônios	Os demônios gritaram: "Você é o Filho de Deus!".	Eles sabiam que Jesus era o Filho de Deus. Pediram que ele os enviasse para uma manada de porcos, que depois se afogaram.	Ele gritou, lançou o menino numa convulsão intensa e partiu.
Resultado final	Cura	Alívio completo; em perfeito juízo	Cura

Por que a correlação é vital

Existem pelo menos quatro benefícios principais de se correlacionar textos bíblicos:

1. *A correlação nos dá discernimento claro em vez de opiniões vagas.* Opiniões humanas existem aos montes — e a maioria delas está errada. A correlação tira a autoridade de nós e a coloca nas Escrituras.
2. *À medida que nosso conhecimento das Escrituras se amplia, nossa compreensão de Deus se aprofunda.* Isso nos dá grande estabilidade bíblica.
3. *A correlação nos ajuda a cultivar uma fé razoável e equilibrada.* Ela nos protege dos extremos. Satanás é especialista em extremos, ao passo que as Escrituras fornecem o alicerce do equilíbrio.
4. *A correlação nos capacita a separar rapidamente a verdade do erro.* Quando confrontados com o falso ensinamento, seja na porta de casa, seja no púlpito da igreja, seremos capazes de reconhecê-lo e de enfrentá-lo com as Escrituras.

Agora que já vimos alguns benefícios da correlação, permita-me encerrar o capítulo destacando alguns pontos essenciais para a correlação:

- *Seja diligente.* Aprofunde-se! Não confie no meu ensinamento; faça o seu próprio estudo. Ainda que tenha apenas trinta minutos por dia, desligue a televisão e sente-se tranquilamente diante do Senhor com sua Bíblia aberta. Seja consciencioso ao realizar sua tarefa como um atento estudante das Escrituras.
- *Agrade a Deus.* Você não está procurando agradar nenhuma outra pessoa; você está se fortalecendo nas Escrituras. A maioria de nós tem amigos cuja fé é distorcida. Não cabe a você fazer que eles se sintam bem consigo mesmos ou que gostem mais de você — você não precisa da aprovação deles. Seu desejo é ser aprovado por Deus. Lembre-se de 2Timóteo 2.15: "Esforce-se sempre para receber a aprovação do Deus a quem você serve". Estudo cuidadoso da Palavra de Deus honra o Deus da Palavra. Ele sorri a cada momento que você passa com as Escrituras. Ao estudar, lembre-se de orar, pedindo a Deus que o guie.

- *Permaneça equilibrado.* Não se perca nem vá a extremos. Se você sentir que algo que descobriu nas Escrituras está fora de equilíbrio, é bem provável que de fato esteja. Mantenha-se focado na Palavra de Deus e busque a verdade. Abra um caminho reto até ela.

Como já mencionei, trabalhar na cozinha é uma habilidade que se aprende. Para a maioria das pessoas, comparar sabores não é algo que surge naturalmente. Aprendemos o sabor dos ingredientes e em que proporção devemos usá-los. Cultivamos as habilidades necessárias e juntamos os utensílios corretos para preparar a comida. Aprendemos a apresentar uma refeição que seja atraente, deliciosa e nutritiva. Tudo isso exige tempo. Também exige que sigamos os passos corretos, na ordem correta. O tempo todo, procuramos um sabor agradável e um bom valor nutricional. É ainda mais importante encontrar o sabor correto e o valor nutricional na comida espiritual que digerimos. Aliás, Salmos 34.8 nos diz: "Provem e vejam que o SENHOR é bom!".

Depois de observar com atenção um trecho das Escrituras e interpretar seu significado, fazemos a correlação daquilo que acabamos de ler com outras passagens. Essa é nossa válvula de segurança. Ela nos ajuda a saber se interpretamos a passagem corretamente. Ela nos salva daqueles que lidam de forma descuidada e manipuladora com o texto sagrado. Este é um passo obrigatório que nos leva à realização mais importante do estudo bíblico: a aplicação. Devemos apresentar as Escrituras de uma maneira que seja cativante para nós e para os outros. No próximo capítulo, caminharemos pelo importantíssimo mundo da aplicação prática.

Sua vez na cozinha

Aprender a comparar os sabores na preparação de alimentos é algo que leva tempo e costuma ser acompanhado de muita experimentação. Correlacionar as Escrituras funciona do mesmo jeito; você não aprenderá como fazer a menos que tente. Veja a seguir alguns exercícios para ajudá-lo a começar.

1. Usando a tabela sobre demônios como exemplo, preencha o quadro a seguir procurando as passagens e registrando seus detalhes.

CONTATO COM DEMÔNIOS NO NOVO TESTAMENTO

	Marcos 3.10-11	Lucas 4.31-35	Atos 16.16-18
Vítima			
Atormentador			
Experiência da vítima			
Método de expulsão dos demônios			
A reação dos demônios			
Resultado final			

2. O que podemos aprender ao correlacionar esses três relatos de contato com demônios no Novo Testamento?

3. Que consistências você nota quando olha para cada uma das categorias a seguir: a experiência da vítima, a reação dos demônios e o resultado final?

4. Em nosso estudo de João 3, vimos que Jesus disse a Nicodemos que o Filho do Homem devia ser levantado. Jesus faz declarações similares em diversas passagens do Evangelho de João. Leia João 8.27-28 e 12.31-36. Como essas duas passagens nos ajudam a entender a declaração de Jesus a Nicodemos em João 3?

5. Já iniciamos nosso estudo de Filipenses 4.4-9, em que Paulo trata da importância da oração. Agora é hora de correlacionar o ensinamento de Paulo com outras passagens-chave que nos ajudarão a entender o que o apóstolo quer dizer. Leia com atenção Mateus 6.5-7, Tiago 4.3 e Salmos 66.18 e, em seguida, observe o que as passagens dizem. Como essas passagens nos ajudam a obter uma compreensão mais ampla da declaração de Paulo sobre oração em Filipenses 4.4-9?

6. Em Lucas 10.25-37, Jesus conta a história do bom samaritano em resposta a uma pergunta sobre amar o próximo. Leia Levítico 19.15-18, Romanos 13.8-10 e Gálatas 5.14. Como esses versículos nos ajudam a entender a importância da parábola sobre o bom samaritano?

7
Acrescentando os temperos

....

A aplicação do texto

Cada etapa da preparação de uma refeição *gourmet* contribui para uma experiência culinária empolgante. Isso inclui comprar os melhores ingredientes, limpar e cortar os legumes, grelhar a carne à perfeição e, finalmente, apresentar a refeição em finos pratos de porcelana e cristais refinados. Naturalmente, o que gera o fracasso ou o sucesso de uma refeição é o gosto que a primeira garfada tem na boca. Toda a preparação diligente e a apresentação cuidadosa perdem a força quando comparadas ao sabor real da comida.

O mesmo pode ser dito quanto a estudar e assimilar as Escrituras. Até este capítulo, dedicamos nossa atenção à observação cuidadosa, à interpretação precisa e à correlação abrangente. Contudo, tudo isso fica incompleto sem a aplicação pessoal e criteriosa. Deixar de aplicar as Escrituras seria como preparar uma refeição deliciosa, mas nunca de fato sentar-se e prová-la em primeira mão.

Em 1959, como aluno de primeiro ano do seminário, eu me sentava na ponta da cadeira durante as aulas de Métodos de Estudo Bíblico. O dr. Hendricks iniciou uma de suas aulas com uma declaração chocante: "Se você observar, interpretar e correlacionar as Escrituras, mas deixar de aplicá-las, terá cometido um aborto". A imagem vívida me fez perceber que imensa tragédia é fazer todo o esforço de estudar as Escrituras Sagradas, chegar a uma compreensão do que elas dizem e o sentido daquilo e, então, deixar de aplicá-las na vida pessoal. Sem a aplicação, frustramos a nova vida, pois é na aplicação da verdade que encontramos convicção, direção, correção e encorajamento para nosso crescimento espiritual. A aplicação é a realização suprema do estudo bíblico — o toque final, a derradeira colocação do diamante no anel da verdade.

Nunca me esqueci das agudas palavras do dr. Hendricks. Elas ainda me assombram. Toda vez que me sento para preparar uma mensagem, lembro-me de sua admoestação e de outros ensinamentos semelhantes: "Estude bastante. Leia de maneira detalhada e cuidadosa para observar o que a Bíblia está dizendo. Passe um bom tempo na interpretação de modo que o Espírito de Deus o leve a entender o significado da passagem, primeiramente na mente do próprio autor e, por fim, na vida daqueles que vivem séculos depois de o texto ter sido escrito".

Repito: a parte suprema de sua tarefa no estudo das Escrituras é descobrir como a verdade se aplica à sua vida e à vida das outras pessoas. Se deixarmos de aplicar o que estudamos, estaremos nos privando da magnífica verdade da Palavra, cujo propósito é nos alimentar. Se você é professor de um grupo de adultos, de uma classe de escola dominical ou de um pequeno grupo, certifique-se de que você não apenas ensina o que os vários versículos dizem e o que significam, mas também que reserva tempo para explicar como aqueles mesmos versículos tocam o centro nervoso de algumas facetas específicas da vida. A satisfação decorrente disso é maravilhosa demais para ser descrita por palavras, algo muito semelhante ao sentimento posterior a uma refeição estupenda compartilhada com aqueles a quem amamos.

Tiago nos alerta: "Lembrem-se de que é pecado saber o que devem fazer e não fazê-lo" (Tg 4.17). Insisto que você receba essa admoestação de maneira pessoal. É insuficiente explicar o que o Senhor registrou em sua Palavra e, então, sair com mero conhecimento, sem nenhum plano de seguir em obediência.

Cynthia e eu estudamos por muitos anos com um ótimo professor e estudioso da Bíblia. Ele era capaz de explicar o texto com maestria. Conseguia analisar os versículos como ninguém. Sua teologia era impecável. Ele tinha uma percepção incrível das Escrituras. Contudo, quando chegava ao fim de sua mensagem, ele frequentemente dizia: "Que o Senhor aplique esses versículos à nossa vida". Essa declaração era seguida pela frase: "Agora, vamos orar". Eu costumava pensar: "Não! Você precisa nos ajudar a aplicar esses versículos! Foi você que nos ajudou a entender as palavras e o que elas querem dizer. Ajude-nos a descobrir o significado delas para nossa vida. Explique! Seja específico!". Como congregação, éramos deixados para fazer isso por nossa conta. Era como levantar-se da mesa depois de uma refeição e ainda sentir fome. A exposição era brilhante, mas incompleta.

O que é a aplicação?

O que queremos dizer quando falamos sobre aplicar a Bíblia à nossa vida? Aplicação significa que levamos a Palavra de Deus para o nível pessoal. Significa que entendemos como ela aborda áreas especificas de nosso cotidiano. É permitir que as verdades bíblicas nos peguem em áreas que precisam de atenção e nos conclamem a agir. Se eu lhe apresentar o evangelho do Senhor Jesus Cristo e lhe disser que Jesus Cristo morreu por seus pecados de acordo com as Escrituras; se eu explicar que ele foi sepultado e pouco depois foi miraculosamente ressuscitado da sepultura; e se eu lhe disser que a morte e a ressurreição de Cristo pagaram a pena completa por seu pecado, dando-lhe a oportunidade de ter vida eterna, mas parar aqui, tudo que você tem em mãos é um conjunto de fatos. Sim, eles são verdadeiros e confiáveis, mas a mensagem está incompleta. Se, porém, eu lhe disser: "É preciso receber essa mensagem em uma dimensão pessoal", você terá a oportunidade de responder, isto é, de aplicar a mensagem completa do evangelho. Você está livre para aceitar a mensagem ou rejeitá-la, de crer nela ou recusá-la. Usando termos de pescaria, eu lanço o anzol. Usando termos de futebol, eu passo a bola. Usando termos culinários, eu passo o prato.

APLICAÇÃO

Permitir que as verdades da Palavra de Deus nos peguem em áreas que precisam de atenção e nos chamem para agir.

Lewis Sperry Chafer, fundador do Seminário Teológico de Dallas, costumava dizer: "Você não pregou o evangelho se não tiver dado às pessoas alguma coisa na qual acreditar". Você acredita no Senhor Jesus Cristo quando confia nele, quando depende dele para perdoar seus pecados e para lhe dar a vida eterna. Pela fé, você recebeu a pessoa de Cristo em sua vida. Desse momento em diante, o Espírito Santo reside em você. Além disso, você é declarado justo perante Deus. Nesse ponto, você recebe dons espirituais específicos que devem ser usados no corpo de Cristo. No entanto, nada disso se revelará se você deixar de aplicar o evangelho pessoalmente. Lembre-se de que é pecado não fazer o que sabemos que deve ser feito. Nos termos mais simples possíveis, aplicação é *obediência em ação.*

Por que a aplicação é importante

Existem pelo menos três razões pelas quais a aplicação pessoal é importante:

1. *Precisamos praticar aquilo em que dizemos acreditar.* O livro de Tiago gira em torno desse tema. Com efeito, aqueles cinco capítulos estão perguntando: se dissermos que acreditamos, por que razão nos comportaríamos como se não acreditássemos? É por isso que Tiago nos convida a ir até o espelho da Palavra de Deus, a fim de percebermos a verdadeira condição de nossa vida interior. Tão logo tenhamos visto o que há ali, damos os passos necessários para lidar com comportamentos e atitudes que precisam mudar. Por quê? Porque precisamos aplicar aquilo em que acreditamos.
2. *Tanto o Antigo quanto o Novo Testamento nos exortam a fazer isso.* Veja, por exemplo, Deuteronômio 11.1 e Tiago 1.22. Precisamos aplicar os mandamentos das Escrituras de modo que nos tornemos seguidores obedientes de Cristo. Não podemos ser seguidores cegos e passivos; devemos ser seguidores obedientes e ativos. Recebemos a verdade e então obedecemos a ela. Lembre-se: Deus não nos deu sua Palavra para satisfazer nossa curiosidade; ele a deu a nós para transformar nossa vida.
3. *A aplicação nos capacita a fazer nossa vida funcionar no poder do Espírito Santo.* À medida que aplico a verdade, o Espírito de Deus age de maneira sobrenatural dentro de mim. Antes de Cristo deixar esta terra, ele comissionou seus discípulos para que fossem ao mundo inteiro e espalhassem sua verdade. Basicamente, ele disse: "Vocês

continuam até que eu volte" (ver Lc 19.11-17). Ele esperava que seus seguidores colocassem suas instruções em prática.

Imaginemos que eu seja o CEO de uma grande corporação e que você seja um empregado dessa companhia. Minha responsabilidade inclui viajar, e então chega a hora de eu fazer uma longa viagem por outros países. Eu lhe digo que, enquanto estiver fora, espero que você realize seu trabalho com fidelidade. Antes de partir, reúno todos os funcionários que fazem parte da corporação e lhes informo: "Vejam, enquanto eu estiver fora, enviarei a vocês pelo menos um *e-mail* a cada semana para explicar o que quero que seja feito nesse período. Não preciso estar aqui porque vocês são capazes de seguir essas instruções". Todo mundo entende e concorda.

Enquanto estou fora, cumpro fielmente o que prometi, enviando um *e-mail* semanal a você e ao restante da companhia, declarando o que espero e o que você deve fazer na minha ausência. Deixo tudo bem claro; não há confusão. O tempo passa e, a cada semana, você recebe minhas instruções. Então, minha viagem chega ao fim.

Quando volto, dirijo meu carro até o escritório da empresa e imediatamente percebo que a grama está crescendo nas rachaduras do estacionamento. Há lixo espalhado pelo chão. Passo pela porta e a recepcionista está fazendo as unhas, inclinada para trás na cadeira, assistindo a algum programa em seu *notebook*. Alguns funcionários estão teclando nas redes sociais e fazendo apostas em *sites*, conversando sobre o time que ganhou no final de semana passado e qual deverá vencer no próximo. Dou uma olhada no seu escritório e percebo que você e vários outros empregados estão jogando *vídeo game*. Estão gargalhando e se divertindo bastante.

— Espere um pouco — digo eu. — O que está acontecendo aqui?

— Oh, bem-vindo de volta! — você responde. — Que bom tê-lo aqui conosco de novo.

— Vocês não receberam meus *e-mails*?

— Sim, recebemos — responde um funcionário. — Recebemos cada um deles. Você é um ótimo escritor! Ficamos fascinados pela mensagem que nos enviou. Aliás, reunimos várias pessoas em pequenos grupos para estudar os seus *e-mails*. Tivemos um interesse especial em suas palavras em relação às coisas que vão acontecer, porque ficamos entusiasmados em pensar no futuro. Um dos nossos grupos chegou até a decorar algumas das linhas mais bem escritas dos seus *e-mails*. Gostamos muito de tudo que você nos enviou.

Olho para o grupo balançando a cabeça. Então, digo:

— Tenho uma pergunta para vocês. O que *fizeram* em relação às coisas que eu escrevi?

De repente, todo mundo fica com um olhar perdido no rosto.

— Fazer? — você pergunta. — Não *fizemos* nada em relação a elas, mas lemos e estudamos tudo fielmente, e até memorizamos algumas das coisas que você escreveu.

— Isso não importa! Eu enviei aquelas mensagens para que vocês executassem as instruções na minha ausência.

O que faltou? *Aplicação.*

Isso ilustra como nós, seguidores de Cristo, costumamos tratar as Escrituras que Deus nos deu. Se desprezarmos a aplicação — se apenas fizermos um estudo daquilo que Deus escreveu sem cumprirmos as responsabilidades que ele nos atribuiu —, as consequências serão trágicas.

Quando a aplicação é negligenciada

Vejamos o que acontece espiritualmente conosco quando não aplicamos as Escrituras.

1. *A doutrina se torna empoeirada, seca e sem vida.* Poderíamos encher nossa cabeça e nossos computadores de informações sobre as doutrinas de Deus, Cristo, Espírito Santo, Satanás, demônios, anjos, pecado, salvação e a igreja. Em seguida, poderíamos estudar as verdades em relação às coisas futuras. Poderíamos até acrescentar perdão, graça, a cruz, e tudo relacionado a essas grandes verdades. Mas, sem a aplicação, nenhum desses assuntos fará qualquer diferença em nosso modo de viver. A doutrina pode ficar pulando em nossa cabeça por um tempo, mas cai no chão quando nossa vida não muda para melhor.
2. *Substituímos arrependimento por racionalização.* Se não aplicamos a Palavra de Deus, ouvimos o que as Escrituras estão dizendo, mas não nos convencemos. Não percebemos que aquelas palavras foram

ditas para serem vivenciadas, e não apenas estudadas, memorizadas e mencionadas em nossas conversas.

3. *Pensamos que as experiências emocionais substituem tomar atitudes.* Podemos nos sentir culpados por algum pecado recorrente ou nos sentir tristes por nossa impaciência e ira, mas esse é unicamente o primeiro passo rumo à aplicação. Quando sentimos a convicção do Espírito de Deus agindo dentro de nós, ele nos dá as ferramentas para aplicá-la de maneiras específicas, não importando se isso signifique que tenhamos de tomar decisões difíceis, tratar vícios específicos ou confessar pecados de longa data.

O processo de autoavaliação

Responder à convicção do Espírito Santo é a parte inicial da aplicação. Esse processo é às vezes chamado de autoavaliação. No final de 1Coríntios 11, lemos uma exortação sobre a ceia do Senhor. Comer do pão e beber do cálice nos lembra o que cada um desses elementos representa: o corpo e o sangue de nosso Senhor Jesus. Mas não devemos simplesmente entrar no meio do culto, sentar, comer um pequeno pedaço de pão, beber um pequeno cálice de suco de uva e então sair correndo pela porta da frente. Não; nós somos responsáveis por nos prepararmos espiritualmente. Assim como lavamos as mãos antes de fazer uma refeição, colocamos nossa vida perante o Senhor e pedimos a ele que limpe nosso coração antes de chegarmos à mesa da ceia. É isso o que a passagem está ensinando. Reflita com atenção enquanto lê o que o apóstolo Paulo escreveu:

> Porque cada vez que vocês comem desse pão e bebem desse cálice, anunciam a morte do Senhor até que ele venha. Assim, quem come do pão ou bebe do cálice do Senhor indignamente é culpado de pecar contra o corpo e o sangue do Senhor. Portanto, examinem-se antes de comer do pão e beber do cálice.
>
> 1Coríntios 11.26-28

Talvez você nunca tenha pensado nisso dessa maneira, mas a ceia do Senhor é um anúncio público da morte do Salvador em nosso lugar. Perceba a ordem direta de Paulo: "examinem-se". O termo grego aqui é *dokimazo*, que significa "fazer um exame crítico de algo a fim de determinar sua legitimidade". Quando me examino antes de comer do pão e beber do cálice, olho para qualquer parte da minha vida que seja hipócrita, ilegítima. Pergunto a mim mesmo se sou culpado de algum acobertamento. Em que partes da minha vida — mente, pensamentos, motivação, palavras ou ações — minha autoavaliação revela falta de genuinidade?

Por meio da correlação aprendemos que a mesma palavra aparece em 2Coríntios 13.5, em que Paulo afirma: "*Examinem* a si mesmos. Verifiquem se estão praticando o que afirmam crer. Assim, poderão ser aprovados. Certamente sabem que Jesus Cristo está entre vocês; do contrário, já foram reprovados".

Continuemos com as instruções do apóstolo em 1Coríntios 11:

> Pois, se comem do pão ou bebem do cálice sem honrar o corpo de Cristo, comem e bebem julgamento contra si mesmos. Por isso muitos de vocês estão fracos e doentes e alguns até adormeceram. Se examinássemos a nós mesmos, não seríamos julgados dessa maneira.
>
> 1Coríntios 11.29-31

Essas palavras são seríssimas — trata-se de uma das verdades mais importantes relacionadas à adoração em toda a Bíblia. Pode ser que, em alguns momentos, não levemos tão a sério a admoestação de limpar nossa vida ao recebermos os elementos da ceia do Senhor. Permita-me garantir a você que o Senhor leva isso muito a sério! Se há uma coisa que lhe provoca náuseas é a atitude morna e descuidada em relação às coisas sagradas (Ap 3.15-17).

Havia uma doença séria que perdurava na igreja de Corinto. Mas — aqui está o contraste — no versículo 31 somos instruídos a nos examinar. Apesar de usarmos a mesma palavra *examinar* em nosso idioma, esta vem de uma palavra grega diferente. O termo é *diakrino*, e não *dokimazo. Diakrino* significa "avaliar uma coisa por meio de atenção cuidadosa".

Permita-me ilustrar o que isso significa. É o que você faz todas as manhãs depois de uma longa noite de sono. Você vai até o banheiro, acende a luz e olha para aquela monstruosidade refletida no espelho. Seu cabelo parece ter passado por uma explosão, e seu rosto está amassado em alguns lugares. Seu hálito está horrível. Seus dentes parecem cobertos por uma fina camada de musgo. Você reconhece que o fato de continuar naquele pijama daria início a uma revolta. O que você acabou de fazer? Você fez um rápido *exame* da sua verdadeira condição. Você não apaga a luz simplesmente e diz: "Vou para a igreja desse jeito mesmo". Não. Você pensa: "Preciso fazer algo em relação a isso, e vai levar algum tempo". Tenho uma notícia para você: quanto mais velho você fica, mas tempo leva para ficar em forma! Como ouvi durante toda minha vida: "Se o celeiro precisa de pintura, *pinte-o*!". Como você descobriu que precisava mudar essas coisas? Você olhou no espelho.

Toda vez que olhar para as páginas da Bíblia, pense em cada uma delas como um espelho. A Palavra de Deus nos convence de hábitos pecaminosos e de tendências ofensivas. Devemos reagir fazendo alguma coisa a respeito. Mais uma vez, isso é aplicação. Estamos aplicando aquilo que lemos ou observamos. Se não fizermos isso, deixaremos passar as saudáveis e nutritivas Escrituras sem de fato prová-las. Sem a aplicação, perdemos a nutrição para nossa vida. Não é nosso desejo sentar, ler um pequeno texto, sentir o aroma e então deixar a refeição esfriar no prato — intocada, não consumida e não digerida.

Repito: a Bíblia não nos foi dada para satisfazer uma curiosidade ociosa; ela nos foi dada com o fim de nos transformar. O desejo de Deus é que provemos, observemos, examinemos, avaliemos e determinemos o que é legítimo na hora de tomarmos uma decisão bem pensada em relação a áreas de nossa vida que precisam de atenção. Muitas e muitas pessoas deixam de aplicar as Escrituras, o que explica por que alguns crentes vivem com uma postura amarga, muito embora conheçam o Senhor há décadas. Amigos e familiares querem que eles subam a um novo nível de maturidade, mas eles resistem.

O estudo cuidadoso, combinado com a aplicação das Escrituras, mudará nossa atitude — mudará de verdade! Como? O Espírito de Deus está em ação em cada área de nossa vida por meio de sua Palavra. Ele nos conhece e quer que nos tornemos mais e mais semelhantes a seu Filho. O plano geral de ação de Deus é claro: que nos tornemos como Cristo. A aplicação acelera esse processo.

A aplicação das Escrituras

Este é um bom momento para praticarmos juntos a aplicação de uma passagem das Escrituras. Comecemos com o salmo 139. Esse salmo é um hino antigo, composto de quatro estrofes, com seis versos em cada uma. Se tiver espaço na margem da sua Bíblia, escreva estas quatro declarações resumidas para cada estrofe. Para os versículos 1 a 6, escreva "Deus me conhece". Trata-se da chamada doutrina da onisciência. Deus sabe todas as coisas, e isso inclui tudo sobre você. Como sabemos disso? Porque observamos o que os versículos estão dizendo:

> Ó SENHOR, tu examinas meu coração
> e conheces tudo a meu respeito.
> Sabes quando me sento e quando me levanto;
> mesmo de longe, conheces meus pensamentos.
> Tu me vês quando viajo e quando descanso;
> sabes tudo que faço.
>
> Salmos 139.1-3

Perceba que o salmo começa com estas palavras: "Ó SENHOR, tu". Isso nos diz imediatamente que se trata de uma oração. O vocativo "SENHOR" aparece diversas vezes (vs. 4 e 21). "Ó Deus" aparece nos versículos 17, 19 e 23. Por todo o hino, o salmista Davi está orando: "Ó SENHOR" e "Ó Deus". Davi compôs esse hino e o escreveu em seu diário e, por fim, ele foi incluído no saltério, o antigo hinário judaico.

Ao estudarmos o versículo 2, vemos o que significa a doutrina da onisciência. Deus sabe tudo sobre todos e sobre todas as coisas. Você nunca ouvirá do céu uma frase como: "Veja só! Puxa, não sabia disso! Gabriel, venha aqui dar uma olhada! O que é isso que está acontecendo?". Não, Deus nunca reage desse modo. Ele sabe tudo, o que significa que ele nunca aprende nada. As pessoas às vezes oram a Deus como se ele precisasse ser informado do que está acontecendo. Ele sabe tudo sobre nós, portanto não precisamos informá-lo sobre coisa alguma. Ele vê quando viajamos e quando descansamos.

> Antes mesmo de eu falar, SENHOR,
> sabes o que vou dizer.
> Vais adiante de mim e me segues;
> pões sobre mim a tua mão.
> Esse conhecimento é maravilhoso demais para mim;
> é grande demais para eu compreender!
>
> Salmos 139.4-6

Note que Deus sabe o que diremos mesmo antes de falarmos qualquer coisa. Você não gostaria de saber antecipadamente o que vai dizer? Quantas vezes nós estragamos tudo e, mais tarde, pensamos "Por que eu falei aquilo?"! Tenho um amigo que coloca muito bem a questão: "Nunca lamentei as coisas que eu *não* disse". O salmista enfatiza nos versículos 1 a 6 que Deus nos conhece.

Faça uma marcação na margem da sua Bíblia cobrindo os versículos 7 a 12, com o seguinte título: "Deus está comigo". Voltemos ao hino:

> É impossível escapar do teu Espírito;
> não há como fugir da tua presença.
> Se subo aos céus, lá estás;
> se desço ao mundo dos mortos, lá estás também.
> Se eu tomar as asas do amanhecer,
> se habitar do outro lado do oceano,
> mesmo ali tua mão me guiará,
> e tua força me sustentará.
>
> Salmos 139.7-10

Essa estrofe nos apresenta a doutrina da onipresença de Deus, que significa que ele está em todos os lugares em todos os momentos e ao mesmo tempo. Davi descreve a onipresença de Deus mostrando que, aonde quer que formos, Deus já estará ali. Pare e pense: estamos extraindo tudo isso diretamente das Escrituras. Que dedicação de nosso Pai celestial em nos revelar tanto sobre si mesmo! A Palavra de Deus é um reservatório de informações de suma importância.

Davi usa vários exemplos para ilustrar a presença de Deus. No versículo 9, ele escreve sobre as "asas do amanhecer". Sua versão bíblica pode trazer "asas da alvorada" ou "asas da alva". Gosto muito de como isso é expresso; que bela poesia! "As asas do amanhecer" são uma referência aos raios de luz que vêm do sol bem cedo pela manhã. Você sabia que esses raios de luz viajam até a terra à velocidade de trezentos mil quilômetros por segundo? Se pudéssemos viajar assim tão rápido, chegaríamos à superfície da lua em três segundos!

Essa frase do versículo 9 me faz lembrar a corrida entre os Estados Unidos e União Soviética para chegar ao espaço durante a Guerra Fria.

Um relatório do Kremlin, emitido depois da primeira viagem dos russos ao espaço, dizia que eles viajaram até lá mas não viram Deus. O falecido pastor W. A. Criswell, da Primeira Igreja Batista de Dallas, deu sua resposta clássica: "Se ele tivesse saído daquele traje espacial, *ele teria visto Deus!*". O dr. Criswell estava certo — Deus está ali. Ele fez os planetas, assim como cada uma das estrelas. Sua presença majestosa engloba todas as galáxias.

Quando aplicamos essa verdade em um nível pessoal, ela também nos serve como lembrete de que não importa onde estejamos, incluindo as mais remotas e insignificantes ilhas do mar, Deus estará ali, esperando nossa chegada. Se quiséssemos fugir para aquele pequeno ponto, na esperança de nos escondermos das consequências de algum crime que tenhamos cometido, Deus estaria exatamente ali. Se carregássemos conosco uma consciência culpada quando partíssemos, encontraríamos uma consciência culpada quando chegássemos. Ao aplicar esse versículo, percebemos por que uma viagem nunca traz paz se estivermos em conflito com o Deus vivo. Como o versículo 7 afirma, nunca conseguimos fugir da presença do Senhor.

Veja os dois versículos seguintes:

Eu poderia pedir à escuridão que me escondesse,
e à luz ao me redor que se tornasse noite,
mas nem mesmo na escuridão posso me esconder de ti.
Para ti, a noite é tão clara como o dia;
escuridão e luz são a mesma coisa.

Salmos 139.11-12

Quando criança, você alguma vez tentou se esconder do perigo? Se sentia medo do bicho-papão, você talvez tenha puxado as cobertas sobre a cabeça e pensado: "Ele não pode me encontrar aqui porque estou debaixo do cobertor!". A maturidade não elimina por completo nosso desejo de escapar da realidade. Aqueles que estão em fuga dizem a si mesmos: "Deus não consegue me encontrar. Estou tendo esse caso, mas ninguém jamais saberá sobre ele". O salmo nos garante que Deus sabe tudo sobre todas as coisas. Não há segredo para o Deus vivo. Nada lhe é obscuro. Podemos fugir, mas não podemos nos esconder.

Conforme prosseguimos por esse hino antigo, mas profundamente pessoal, chegamos à terceira estrofe, os versículos 13 a 18. Escreva na margem da sua Bíblia: "Deus me criou". Esse é um lembrete de que Deus é onipotente — ele é todo-poderoso. Se você quer saber quando a vida começa, então precisa fazer um estudo profundo de Salmos 139.13-18 e, assim, julgar por si mesmo. A Bíblia revela a verdade; portanto, deixemos a verdade falar. Talvez você até queira ler os seis versículos em voz alta. Faça uma pausa depois de cada versículo e imagine a cena em sua mente. Sua vida começou quando você estava no ventre da sua mãe:

> Tu formaste o meu interior
> e me teceste no ventre de minha mãe.
> Eu te agradeço por me teres feito de modo tão extraordinário;
> tuas obras são maravilhosas,
> e disso eu sei muito bem.
> Tu me observavas quando eu estava sendo formado em segredo,
> enquanto eu era tecido na escuridão.
> Tu me viste quando eu ainda estava no ventre;
> cada dia de minha vida estava registrado em teu livro,
> cada momento foi estabelecido quando
> ainda nenhum deles existia.
> Como são preciosos os teus pensamentos a meu respeito, ó Deus;
> é impossível enumerá-los!
> Não sou capaz de contá-los;
> são mais numerosos que os grãos de areia.
> E, quando acordo,
> tu ainda estás comigo.
>
> Salmos 139-13.18

VISÃO GERAL DO SALMO 139

Versículos	Resumo
1-6	Deus me conhece
7-12	Deus está comigo
13-18	Deus me criou
19-24	Deus, examina-me

Nos dias de Davi, não havia nenhuma câmera que pudesse analisar essa dimensão íntima. Mas Deus é capaz de adentrá-la. Por aplicação, esses versículos estão dizendo que quando éramos menores que um ponto colocado no final de um parágrafo — uma forma embrionária, apenas células microscópicas —, Deus estava ali. Ele nos formou, dando a cada um de nós um rosto singular, assim como uma personalidade individual. Enquanto nos formava, ele criou nossos ossos e fez deles parte de nossa estrutura corporal.

Não importa se você é alto ou baixo. Não importa a aparência do seu rosto. Seu amoroso Deus Criador fez de você quem você é. Não se preocupe com a sua identidade nem reclame do seu corpo. Deus o criou, começando no ventre de sua mãe. Esses versículos levam a uma mensagem bem clara: Deus se importa com você! A beleza da aplicação é que ela permite que as letras impressas na página nos falem de maneira direta e pessoal. De um momento para outro, percebemos quão relevantes as Escrituras podem ser.

A estrofe final, que consiste em seis versículos, está dizendo: "Deus, examina-me". Esses versículos enfatizam a compaixão de Deus. Ele se importa! A conclusão da última seção é poderosa — e bastante pessoal. Veja os versículos 23 e 24:

> Examina-me, ó Deus, e conhece meu coração;
> prova-me e vê meus pensamentos.
> Mostra-me se há em mim algo que te ofende
> e conduze-me pelo caminho eterno
>
> Salmos 139.23-24

Davi não está mais dizendo "tu" ou "teu"; agora ele diz "me" e "meu". "Examina-me." É aqui que Davi aplica o que acabou de escrever. O salmista revelou toda essa grande teologia: a onisciência, a onipresença, a onipotência e a compaixão do nosso grande Deus. E agora ele diz: "Ó Deus, preciso de ajuda. Portanto, examina-*me*". Ele conclui convidando o Deus vivo a expor qualquer área de sua vida que necessite de mudança.

Dicas para a aplicação pessoal

A aplicação das Escrituras não é algo para o qual você precisa da ajuda de um pastor — é algo que você pode fazer todos os dias, durante seu próprio tempo com o Senhor. Aqui estão alguns princípios úteis para ter em mente quando você começar a aplicar as Escrituras.

1. *Pense.* Ao aplicar as Escrituras, reflita sobre o que está acontecendo em sua vida. Você pode estar preocupado em relação a alguma coisa. Seu cônjuge pode tê-lo abandonado há pouco tempo. Talvez você tenha perdido o emprego. Pode ser que esteja enfrentando dificuldades com uma insegurança profunda ou passando por um episódio de depressão. Pode achar difícil ter um bom relacionamento com alguém com quem você trabalha. A lista pode ser enorme. Quando começar a pensar sobre sua vida, faça a si mesmo algumas perguntas. Há segredos que você está escondendo? Encare-os. Deus sabe de tudo, lembra-se? Existem hábitos que o estão machucando? Há atitudes que você está cultivando que precisam ser mudadas? Existem motivações egoístas que você está negando? Olhe para dentro de si e seja honesto consigo e com Deus.

   Faço isso todas as vezes que examino as Escrituras — sim, todas as vezes. Antes de pensar nas pessoas que vão escutar uma mensagem que estou preparando, eu pondero: "Ó Senhor, preciso me abrir e falar contigo sobre tal e tal coisa que está acontecendo na minha vida. Preciso de ajuda". Ou então posso dizer: "Não sei o que é, Senhor. Tenho alguns sentimentos inquietantes dentro de mim. Peço que tu examines o meu coração". Não oro para que, assim, Deus possa saber o que está acontecendo dentro de mim, porque ele já vê todas as coisas. Oro para que Deus me revele a verdade: "Mostra-me o que tu vês em relação a mim. Ajuda-me a entender por que estou passando por tal ansiedade. Por que não consigo dormir? Por que acordo me sentindo sobrecarregado? Por que não consigo me dar bem com tal pessoa? Quais são as âncoras desnecessárias que estão me segurando? Examina-me, ó Deus". Pense no que está acontecendo na sua vida e peça a Deus que revele quaisquer impurezas que estejam em seu coração. Comece ali, com seus pensamentos.
2. *Reconheça.* Identifique questões pessoais problemáticas em sua vida. Hebreus 12.1 se refere a isso como o "pecado que nos atrapalha". São pecados que nos atormentam e que frequentemente nos fazem tropeçar na caminhada com Cristo. Ao convidar o Senhor para examinar sua vida e ajudá-lo a entender esse coração ansioso, esteja pronto para reconhecer a verdade daquilo que ele revelar. Talvez

você precise resolver uma área de orgulho, ganância, egoísmo, impaciência, procrastinação, indolência, inveja, ciúme ou cobiça. Talvez esteja abrigando um espírito de falta de perdão ou um espírito de merecimento pessoal que o levou a pensar: "Eu mereço ter isso. Eles me devem isso". Deus revelará a verdade conforme você aplicar a Palavra. Ele também lhe mostrará como você deve se quebrantar e se humilhar perante ele. Quando você aplica adequadamente as Escrituras e Deus sonda a sua vida interior, a dor pode ser intensa.

A. W. Tozer coloca a questão de uma ótima maneira: "É de se duvidar que Deus possa abençoar um homem grandemente sem o ferir profundamente".[1] É por isso que, para algumas pessoas, é preciso haver um ferimento grave ou uma cirurgia para chamar a atenção. Para outras, é uma condenação em um tribunal ou um acidente sério. De uma hora para outra, ficamos conscientes de nossa falibilidade. Quando se trata de aplicação das Escrituras, reconheça todo ponto problemático. Não tente se esconder da verdade ou agir como se ela não existisse. Precisamos encarar a questão.

3. *Peça.* Levante questionamentos específicos ao convidar o Senhor para fazer uma sondagem em seu interior. A palavra-chave aqui é *específicos*. Quando fizer perguntas específicas, você receberá respostas específicas. Veja alguns exemplos:
   - Existe uma mudança de direção que preciso adotar?
   - Existe uma promessa da Palavra de Deus que preciso reivindicar?
   - Existe uma oração que preciso fazer?
   - Existe um pecado que preciso confessar?
   - Existe um versículo que preciso memorizar?
   - Existe algum mandamento ao qual preciso obedecer?
   - Existe algum hábito (ou talvez um vício) que preciso abandonar?
   - Existe algum desafio do qual preciso parar de fugir?
   - Existe algum medo que preciso superar?
   - Existe alguém que preciso perdoar?
   - Existe alguém a quem ofendi e com quem preciso me acertar?

   Citando o dr. Hendricks mais uma vez: "Proteja-se da lama viscosa da indefinição". Não chega muito longe a oração que declara de maneira genérica: "Senhor, mostra-me tudo que eu necessito saber".

Seja específico ao pedir. Do mesmo modo, livre-se dos clichês e das generalidades sem sentido em suas orações e fale direto do seu coração. Acima de tudo, quando pedir, esteja pronto para enfrentar a realidade. Os melhores alunos das Escrituras são vulneráveis e desprotegidos.

Lembro-me das palavras do falecido Lorne Sanny, quando ele servia como presidente do ministério Navigators. Ele estava ministrando no *campus* da Academia da Força Aérea. Um dos melhores cadetes da academia, presidente do centro acadêmico, também era cristão — um rapaz admirado pelos demais. Sanny dirigia o estudo bíblico em um pequeno grupo do qual aquele jovem era membro. Sanny olhou diretamente para ele e disse: "Conte-nos em que ocasiões você fica sozinho com o Senhor. Quando você tem seu momento silencioso com Deus?". O cadete ficou vermelho, olhou para baixo e, em seguida, olhou para o rosto do presidente do Navigators. "Senhor, com toda a honestidade, eu não tenho esse momento silencioso", disse ele. "Tenho fingido há anos. Raramente me encontro sozinho com Deus".

Lorne fez uma pausa, engoliu em seco e, então, agradeceu o rapaz por ter sido honesto.

Você seria suficientemente corajoso para dizer isso na frente dos seus colegas? Você diria com honestidade: "Sabe, sou uma pessoa com quem é difícil conviver. Tenho um temperamento raivoso. Se as pessoas soubessem..."? É esse o tipo de honestidade que o Senhor aprecia. Reconheça seu pecado e peça ajuda para tratá-lo. Ao aplicar as Escrituras, você será capaz de enfrentar qualquer tentação que o assole.

4. *Busque*. Procure caminhos que o levem à integridade e à saúde espiritual. Extraio essa aplicação do último versículo desse grande salmo: "Mostra-me se há em mim algo que te ofende e conduze-me pelo caminho eterno" (Sl 139.24).

Existe algo significativo nessa frase de encerramento que não quero que você deixe passar. Volte e leia as palavras de abertura no pedido de Davi: "Mostra-me se há em mim algo que te ofende". A versão Almeida Revista e Atualizada diz "algum caminho mau". O termo hebraico que é traduzido pelo verbo "ofender" ou pela expressão "caminho mau" tem relação com a palavra "ídolo". A frase

> é *derek-ohtzeb*, que significa "qualquer caminho que leve ao pesar ou à dor". Quando temos um espírito que não perdoa, somos entregues a sentimentos de tormento (Mt 18.34-35). Em Salmos 139.24, Davi está pedindo ao Senhor que lhe mostre o caminho que o levou a essa tormenta — o caminho que removeu a paz interior. Conforme aplicamos as Escrituras, fazemos as pazes com verdades como essa. Procuramos caminhos que nos tirem de todo padrão ruim de comportamento no qual nos encontremos. Gosto muito de que o salmista termine sua composição de maneira tão pessoal.

Quando se trata de aplicar as Escrituras, você precisa buscar ativamente maneiras de mudar a direção da sua vida. Numa situação ideal, você encontrará alguém a quem poderá prestar contas. É impossível viver uma vida cristã plena e madura em isolamento. Devemos trabalhar ao lado de outras pessoas e amadurecer em comunidade. É por isso que os relacionamentos são absolutamente vitais. Talvez você queira manter um diário, não apenas para registrar o que você fez, mas também para se concentrar no que o Senhor está fazendo dentro de você e no que ele está lhe revelando.

A aplicação começa com dois compromissos:

- *Certifique-se de que você creu em Cristo e o colocou no trono de sua vida.* Diga-lhe que você quer que ele esteja no centro. Anteriormente neste capítulo, expliquei o evangelho para você; certifique-se de que o esteja seguindo. Certifique-se de que aquele que morreu na cruz é o seu Salvador. Talvez você queira reconhecer isso escrevendo seu compromisso em seu diário: "A partir de hoje afirmo que creio no Senhor Jesus Cristo como meu Salvador". Você também pode querer falar com alguém a quem ama sobre o compromisso que firmou. Finalize o processo garantindo que Cristo está no centro de sua vida, reinando supremo e ocupando o primeiro lugar.
- *Dê início ao seu próprio estudo das Escrituras.* Até aqui, você tem estudado comigo. Agora, com a aplicação, é a sua vez. Escolha uma passagem das Escrituras para estudar. Se não tiver certeza de onde começar, talvez seja interessante escolher o Evangelho de João — possivelmente a partir do capítulo 3. Ou você pode escolher alguns

provérbios para estudar a cada dia. Também pode escolher começar em Gênesis ou em uma das cartas menores de Paulo. Siga no seu ritmo; não há necessidade de pressa. Dê cada passo cuidadosamente: observe, interprete, correlacione e aplique. Confie em mim: se assumir esse compromisso e permanecer nele, você não será mais a mesma pessoa. Acrescento ainda que você também se tornará um grande incentivo para o seu pastor.

Um dos maiores desgostos com que todo pastor tem de lidar é ministrar às mesmas pessoas da congregação semana após semana, mês após mês, ano após ano, e não observar nenhuma mudança visível e duradoura em muitas delas. Um número imenso de pessoas ainda está andando na carne. Muitos buscam seus próprios caminhos. Tudo isso é indicação de que a verdade da Palavra de Deus não está sendo aplicada. Se essa descrição serve para você, insisto que quebre o padrão. É hora de uma mudança mais que necessária. Hoje mesmo, comece a aplicar a Palavra de Deus de maneira pessoal. Lembre-se: nunca é tarde demais para começar a fazer o que é certo.

Ninguém jamais pensaria em preparar uma refeição excelente e não a servir. É natural darmos atenção ao gosto da comida que estamos preparando. A preparação tem tudo a ver com isso, e essa é a razão de sermos tão cuidadosos ao temperar a comida adequadamente. O tempero correto resulta no sabor correto.

O resumo da aplicação é este: a mensagem das Escrituras deve nos atingir em nível pessoal. A aplicação é a realização suprema do estudo bíblico. Como cristãos, somos chamados a viver a mensagem de Cristo em nossa vida. A convicção deve levar ao arrependimento, seguido pela atitude obediente. Então, vem a parte empolgante: colocar tudo junto para servir o banquete. É para onde vamos a seguir.

Que comece o banquete!

Sua vez na cozinha

Agora que você já sabe da importância de acrescentar os temperos certos para criar o sabor perfeito, é hora de entrar na cozinha e fazer suas próprias experimentações. A aplicação das Escrituras é o resultado de suas observações, interpretações e correlações. Veja a seguir alguns exercícios que o ajudarão a começar.

1. O apóstolo Paulo dá instruções específicas sobre o comportamento cristão à igreja de Éfeso. Leia Efésios 4.17-32. Ore para que o Espírito Santo torne esses versículos claros para você e, em seguida, dê início ao processo do estudo bíblico.

   Primeiro, reserve tempo para observar essa passagem com bastante cuidado. Tome nota de detalhes específicos que aparentam ter maior importância.

   Segundo, use as ferramentas de sua Bíblia como auxílio para interpretar corretamente a mensagem de Paulo à igreja. Qual é o significado dessa passagem? Quais verdades estão sendo comunicadas nela?

   Terceiro, encontre outras passagens com ordens similares e faça a correlação delas com Efésios 4.17-32. (P. ex., verifique 1Co 5.)

   Por fim, escreva como os mandamentos de Paulo em Efésios 4.17-32 se aplicam diretamente a você. Seja específico. À medida que esses versículos falarem à sua vida, não hesite em ser dolorosamente honesto!

2. Quais dos mandamentos de Paulo são particularmente condenatórios para você? Que passos você dará para corrigir e mudar seu comportamento? Ao orar para que o Espírito o convença à medida que você aplica a Palavra de Deus, encontre alguém de confiança com quem possa se comprometer para prestar contas.

3. Volte e reveja suas observações, interpretações e correlações sobre João 3. O que podemos aprender com o diálogo entre Jesus e Nicodemos? Extraia ao menos duas aplicações daquele capítulo.

4. Em Lucas 10.37, Jesus aplica a parábola do bom samaritano para nós. Reveja suas observações, interpretações e correlações dessa parábola.

Tendo em mente a aplicação de Jesus nessa passagem, a quem você pode mostrar amor e misericórdia ao longo desta semana?

5. Reveja seu estudo de Filipenses 4.4-9 e, então, trabalhe em três aplicações apropriadas dessa passagem. Como os mandamentos do apóstolo Paulo estão representados em sua própria vida?

6. Pense nas circunstâncias de sua vida neste momento e peça a Deus que revele quaisquer impurezas espirituais que ainda permaneçam em seu coração. Talvez você precise resolver questões nas áreas de orgulho, ganância, egoísmo, impaciência, procrastinação, indolência, inveja, ciúme ou cobiça. Lembre-se de fazer estas perguntas:
   - Existe uma mudança de direção que preciso adotar?
   - Existe uma promessa da Palavra de Deus que preciso reivindicar?
   - Existe uma oração que preciso fazer?
   - Existe um pecado que preciso confessar?
   - Existe um versículo que preciso memorizar?
   - Existe algum mandamento ao qual preciso obedecer?
   - Existe algum hábito (ou talvez um vício) que preciso abandonar?
   - Existe algum desafio do qual preciso parar de fugir?
   - Existe algum medo que preciso superar?
   - Existe alguém que preciso perdoar?
   - Existe alguém a quem ofendi e com quem preciso me acertar?

Peça a Deus que examine o seu coração e revele o que carece de atenção. De agora em diante, sempre que ele o convencer de algo com base nas Escrituras que trate de um pecado ou de um problema em sua vida que precisa ser confessado e perdoado, faça uma pausa no mesmo instante e lide com a questão. Confesse sua transgressão a seu Pai celestial. Ele é o Deus de toda a graça e vai ouvi-lo e purificá-lo (1Pe 5.10). É fundamental que aqueles que apresentam a Palavra de Deus o façam com mãos limpas e corações purificados!

TERCEIRO ESTÁGIO

Servir o banquete

8
Pondo a mesa

....

A preparação para ir fundo na Palavra de Deus

A preparação é importante, seja qual for o seu objetivo. Se você vai fazer um discurso perante uma multidão ou tocar um instrumento musical em um recital, não há dúvida: você precisa estar bem preparado. O mesmo é verdadeiro se você quiser ser o anfitrião de um grande banquete. Ainda que sua intenção seja apenas servir uma refeição agradável para uns poucos amigos mais próximos, algum planejamento será exigido.

Já vimos que examinar as Escrituras envolve trabalho diligente e atenção a detalhes. Não há atalho, não há fórmula milagrosa quando a questão é ser um estudante cuidadoso da Bíblia. Isso leva tempo e devemos nos preparar bem.

Fui relembrado do valor da preparação quando li sobre um menino que havia nascido com um corpo fraco e um debilitante problema de fala. Quando tinha 7 anos, perdeu o pai, que significava o mundo para ele. As coisas ficaram ainda piores quando a grande herança que seu pai havia lhe deixado foi roubada por seus guardiões. Em vez de cuidar dele, eles se recusaram a pagar os tutores do menino, privando-o da boa educação à qual ele tinha direito. Para complicar as coisas, ele não tinha condições de se destacar no lugar que era considerado de importância suprema em sua cultura: o ginásio grego.

As probabilidades pareciam cada vez mais desfavoráveis para aquele menino órfão, frágil e inepto que ninguém conseguia entender e com quem ninguém se importava. Ele era a última pessoa que alguém imaginaria que, um dia, teria o poder de mobilizar sua nação usando apenas sua voz.

Em meio à sua condição miserável, o menino ouviu um grande orador falar na praça pública. A multidão prestava total atenção, aguardando ansiosa cada palavra. Essa experiência inspirou e desafiou o menino como nenhuma outra coisa havia feito. Enquanto estava ali em pé, escutando, ele decidiu que faria algo em relação à sua longa lista de fragilidades e incapacidades. Naquele momento, ele se propôs assumir o controle total de sua vida. Ele acreditava que a chave para alcançar seu objetivo era a preparação.

Esse homem era ninguém menos que Demóstenes, o renomado orador e estadista ateniense.

Um escritor descreve sua transformação da seguinte maneira:

> Para vencer sua dificuldade de fala, ele desenvolveu seus próprios e estranhos exercícios. Enchia a boca de pedrinhas e praticava falar. Ensaiava discursos inteiros sem pausa para respirar. Em pouco tempo, sua voz baixa e fraca irrompeu com clareza retumbante e poderosa.
>
> Demóstenes retirou-se para o subterrâneo — literalmente —, em um abrigo que ele mesmo construíra como seu recanto para estudar e se educar. A fim de garantir que não seria atraído pelas distrações externas, raspou o cabelo em apenas metade da cabeça, de modo que se sentiria envergonhado demais para sair. Desse ponto em diante, ele zelosamente descia todos os dias a seu estúdio subterrâneo para trabalhar a voz, as expressões faciais e a argumentação.
>
> Quando se aventurava sair, era para aprender ainda mais. Cada momento, cada conversa, cada interação era para ele uma oportunidade de aperfeiçoar sua arte. Tudo isso tinha um objetivo: enfrentar seus inimigos no tribunal e ganhar de volta aquilo que lhe fora tirado. O que ele de fato conseguiu.
>
> Quando atingiu a maioridade, ele finalmente abriu um processo contra os guardiões negligentes que o haviam prejudicado. [...] Demóstenes por fim venceu.
>
> Apenas uma fração da herança original ainda existia, mas o dinheiro se tornara secundário. A reputação de Demóstenes como orador, a capacidade de comandar uma multidão e seu conhecimento inigualável dos meandros da lei valiam muito mais que qualquer coisa que tivesse sobrado de uma fortuna que um dia havia sido grande.
>
> Cada discurso que fazia o tornava mais forte, e cada dia o deixava mais determinado. Ele podia vencer as intimidações e encarar o medo de frente.

Ao lutar contra seu destino infeliz, Demóstenes encontrou seu verdadeiro chamado: ele viria a ser a voz de Atenas.[1]

Gosto muito de histórias como essa, não apenas porque são verdadeiras, mas também porque mostram como um perdedor pode triunfar. De onde menos se esperava, esse homem emergiu e se tornou o indivíduo mais importante de seus dias.

Conforme aprendemos com a vida de Demóstenes, a preparação é absolutamente essencial. Esse conceito é muito bem articulado nas palavras de dois comunicadores bastante conhecidos. Donald Grey Barnhouse, famoso expositor do século 20, disse: "Se eu tivesse apenas três anos para servir ao Senhor, passaria dois deles estudando e me preparando".[2] Quando o evangelista Billy Graham foi entrevistado por um repórter que lhe perguntou se havia alguma coisa que ele faria diferente se pudesse viver sua vida de novo, ele respondeu: "Sim, eu iria estudar mais e falar menos. Pelo menos três vezes mais do que fiz".[3] Essas declarações me fazem lembrar um provérbio chinês: "Cave o poço antes que você sinta sede".

Examinar as Escrituras leva tempo e exige trabalho duro. É bem provável que Deus não revele sua vontade em formações de nuvens durante o dia, nem por meio de vozes no seu quarto à noite. Ele escreveu sua vontade em sua Palavra. Quanto mais cuidadoso você for em seu estudo e em sua preparação, mais competente será em ensinar a outros aquilo que aprendeu.

Enquanto aprendemos a escavar fundo nas Escrituras, diligência e disciplina não são opcionais. Assim como acontece com qualquer habilidade, precisamos colocar todo o nosso coração nisso se quisermos melhorar. A exemplo de Demóstenes, devemos nos preparar de maneira apaixonada e paciente!

Não pense que você deve ir para um seminário para entender a Bíblia ou ensinar suas verdades. Não é essencial que você aprenda grego, aramaico ou hebraico para conhecer a Bíblia. Além disso, você não precisa ser brilhante nem criativo para conhecê-la. Você só precisa passar tempo em preparação, estudo, oração e atenção às Escrituras.

Se aprender cada um dos passos para estudar as Escrituras — observação, interpretação, correlação e aplicação —, isso já é uma ótima notícia! Mas não é suficiente contentar-se com seu crescimento pessoal e parar por aí. Agora é hora de compartilhar seu conhecimento com outras pessoas.

Talvez você não seja chamado para pregar em um púlpito, lecionar para uma classe ou escrever um livro, mas você ainda pode abrir as Escrituras com outras pessoas, mesmo que seja em um pequeno grupo ou em uma conversa pessoal com alguém.

O significado da exposição

Comecemos com uma definição de *exposição*. Exposição é o processo de entendimento e explicação do significado e do propósito de determinado texto. Isso pode acontecer em um sermão, em uma sala de aula, em um pequeno grupo ou em torno da mesa de jantar — em qualquer lugar onde pessoas estejam lendo e aplicando uma passagem das Escrituras.

- Ocorre quando o texto bíblico é observado com atenção, entendido com clareza e explicado de maneira interessante.
- Ocorre quando o texto permanece como o foco central de atenção ao longo da transmissão da mensagem.
- Ocorre quando o texto é ilustrado e aplicado em consonância com as necessidades do mundo real de hoje.

Se você deseja ser um expositor fiel, eis alguns princípios-chave que você precisa ter em mente:

- Mantenha-se apegado ao texto (isso é foco).
- Tenha certeza de que seus comentários se ajustam às Escrituras (isso é precisão).
- Use termos que mesmo alguém não iniciado consiga entender (isso é clareza).
- Seja sensível à sua audiência e conecte-se com as pessoas (isso é praticidade).
- Seja verdadeiro e, quando necessário, mostre-se desarmado e vulnerável (isso é autenticidade).

Esses são ótimos itens para classificar qualquer lição que seja ensinada ou qualquer sermão que seja pregado. O pastor ou professor literalmente observou as Escrituras com o propósito de entendê-las e explicá-las? Quando foi transmitida, a mensagem se baseou na Palavra de Deus, e não na opinião de alguém ou em suas ideias pessoais? A mensagem ressoou com poder e autoridade? Prendeu a atenção dos ouvintes? Por fim, foi aplicada e ilustrada de maneira que a audiência conseguiu entender?

Todos os meus sermões passam por esses portões em minha mente. Quero que meu ensino e minha pregação sejam precisos, claros, relevantes e práticos. Para tanto, devo ser preciso com o texto bíblico. Devo falar claramente e explicar as Escrituras de tal modo que qualquer um, e não apenas o cristão maduro, seja capaz de entender. Decodifico o que pode ser confuso ao esclarecer termos difíceis ou incomuns. Então, eu pergunto: "Isso é relevante? Estou ajudando a audiência a compreender a relevância da Palavra de Deus?". Em seguida, conforme aquilo for aplicado, pergunto: "Isso é praticável? Estou dando aos ouvintes algo que eles podem levar consigo durante o restante da semana?". Essa última pergunta é o teste decisivo da exposição. O propósito da Bíblia não é encher a cabeça de conhecimento, mas encher a vida de verdade e graça. Nosso estudo das Escrituras deve nos capacitar a viver a vida de Cristo perante os outros, que estão "lendo" o evangelho do Senhor através do nosso modo de vida.

Perceba que, nessa introdução ao termo *exposição*, não abordei aspectos essenciais como ritmo, criatividade, descrições ou humor. Também não mencionei técnicas danosas como manipulação, autoritarismo, legalismo e mau uso da culpa. Assim como a apresentação de uma refeição influencia seu sabor, também a apresentação das Escrituras afeta a maneira como elas são recebidas pelo ouvinte. Um banquete *gourmet* servido em pratos de papelão com talheres de plástico é menos atraente e, portanto, menos apreciado. Uma refeição congelada simples, rapidamente reaquecida, mas servida em pratos de porcelana chinesa, também não se encaixa. A preparação do texto bíblico requer uma apresentação cuidadosa do significado, bem como uma aplicação precisa e pertinente. Devemos aprender a pôr a mesa de uma maneira que combine com a ocasião. Isso faz parte do processo de preparação.

Vamos revisar aqueles quatro passos familiares do processo e ir um pouco mais fundo ao considerar esses termos no contexto do ensino.

O ensino por meio da observação

Primeiro, lemos o que o versículo diz e observamos o contexto. Já aprendemos que cada versículo se encaixa em um contexto específico. Tome cuidado para não isolar um versículo e mantê-lo nessa situação. Isso é como ler apressadamente um artigo publicado em uma revista, extrair uma frase e chegar a uma conclusão sobre a mensagem do artigo inteiro. Assim como é preciso ler o artigo por completo para entendê-lo, você deve ler o contexto de um versículo para compreender seu significado. Isso é chamado de integração do versículo ao seu contexto.

Imagine se eu lhe contasse a história de Demóstenes começando com a informação de que ele colocava pedras na boca. Você poderia perguntar: "Mas que negócio é esse?". Sem saber os detalhes da história, você não entenderia o propósito por trás de seu método incomum de aprender a falar.

Eu já gaguejei muito. Lembro-me de ingressar no antigo ginasial paralisado diante da ideia de ter de falar em público. Quando cheguei ao ensino médio, minha gagueira estava criando algumas consequências sérias. Nunca me esquecerei de nosso professor de teatro e oratória no ensino médio — um homem chamado Dick Nieme. Ainda me lembro do dia em que, no primeiro ano, ele veio até mim no corredor. Ele olhou nos meus olhos e disse:

— Quero você em minha classe de debate. Também quero que faça parte de nosso grupo de teatro.

Eu honestamente pensei que ele estava falando com o rapaz ao meu lado, no armário seguinte. Quando percebi que ele se dirigia a mim, minha resposta foi:

— M-m-mas eu? Você quer... você q-q-quer q-q-que eu... f-f-faça o quê? — Não estou exagerando.

Então ele disse:

— Sim. Você entendeu certo.

Eu pensei: "Eu sei que entendi. Esse é o problema. O que eu preciso fazer é cair fora disso!". Quando finalmente consegui fazer meu protesto em voz alta, ele respondeu:

— Bem, é para isso que estou aqui.

No verão anterior ao início das aulas do ano seguinte, ele se reuniu comigo e me deu aulas de oratória. Por fim, ensinou-me a falar sem gaguejar. Ele não fazia ideia (e eu certamente não imaginava) como minha vida se transformaria e como Deus usaria minha voz de maneira a servi-lo.

O sr. Nieme disse:

— Quando eu terminar e tivermos aprendido essas coisas juntos, você terá o papel principal em nossa peça mais importante.

E quer saber? Isso de fato aconteceu! E não gaguejei nenhuma vez.

Ainda hoje, existem palavras que me desafiam e, portanto, preciso controlar minha velocidade na fala, lembrando-me daquilo que o Sr. Nieme me ensinou sobre minha mente andar mais rápido que minha boca. Eu diminuo a velocidade quando chego àquelas consoantes que costumam me fazer engasgar ou gaguejar. Foi necessária muita preparação, mas agora sou capaz de lecionar e pregar porque aprendi algumas daquelas disciplinas. Viu só o valor de um professor perspicaz?

Agora analisemos um exemplo bíblico, extraído de Josué 1. Compreender onde esse capítulo se encaixa na história bíblica nos ajudará a entender o contexto do livro. Josué era um homem intimidado. Ele foi encarregado de assumir o lugar do maior líder que Israel já conhecera. Moisés havia sido o libertador escolhido e usado por Deus para liderar seu povo na saída da escravidão do Egito, através do deserto e por todo o caminho até a fronteira da Terra Prometida. Vejamos como o livro de Josué começa:

> Depois que Moisés, servo do SENHOR, morreu, o SENHOR disse a Josué, filho de Num, auxiliar de Moisés: "Meu servo Moisés está morto; chegou a hora de você conduzir todo este povo, os israelitas, para atravessar o rio Jordão e entrar na terra que eu lhes dou".
>
> Josué 1.1-2

A primeira coisa que observamos nessa passagem é que Moisés estava morto. A segunda é que Deus comissionou Josué para assumir o lugar de Moisés. Qual era a primeira tarefa de Josué? Conduzir os israelitas na travessia do rio Jordão. Então, você se pergunta: "Onde é o rio Jordão?". Mas não precisa ficar na dúvida: você pode encontrá-lo nos mapas nas últimas páginas da sua Bíblia ou em um atlas bíblico. Torne-se um estudante da geografia bíblica. O Senhor disse a Josué: "Chegou a hora de você conduzir todo este povo, os israelitas, para atravessar o rio Jordão". Perceba que Deus revelou com clareza aonde Josué e os israelitas deveriam ir. Ele até delineou as fronteiras da terra prometida.

Leia o que Deus disse em seguida:

> Eu darei a vocês todo o lugar em que pisarem, conforme prometi a Moisés, desde o deserto do Neguebe, ao sul, até os montes do Líbano, ao norte; desde o rio Eufrates, a leste, até o mar Mediterrâneo, a oeste, incluindo toda a terra dos hititas.
>
> Josué 1.3-4

Josué estava prestes a liderar uma invasão — os israelitas estavam saindo para lutar pela terra. Josué sabia que o Senhor já tinha dado a terra a ele e aos demais israelitas.

Onde é essa terra? Mais uma vez, verifique no mapa. Ao sul, você encontrará o deserto do Neguebe. A palavra *Neguebe* significa "deserto". Como sei disso? Consultei meu dicionário bíblico. Você não precisa saber hebraico; simplesmente procure a palavra "Neguebe" e encontrará o significado. A seguir, olhe para o norte, até os montes do Líbano. Essa é a fronteira norte. A fronteira leste é marcada pelo rio Eufrates. Se você for para o oeste, encontrará o mar Grande, que é o mar Mediterrâneo. As fronteiras da Terra Prometida estão claramente definidas. O Neguebe ao sul, os montes do Líbano ao norte, o rio Eufrates a leste e o mar Mediterrâneo a oeste. Deus prometeu toda essa terra ao seu povo.

Agora que temos a geografia clara na mente, é hora de analisar a conquista. O Senhor sabia como o inimigo seria combativo. Tratava-se dos hititas, e eles eram tão maus quanto um bando de *pit bulls* raivosos. Estavam entrincheirados na terra que havia sido prometida a Israel. Como sei disso? Mais uma vez, meu dicionário bíblico fornece esses detalhes quando procuro pelo verbete *hititas*. Agora, leia o que o Senhor prometeu:

> Enquanto você viver, ninguém será capaz de lhe resistir, pois eu estarei com você, assim como estive com Moisés. Não o deixarei nem o abandonarei.
>
> Josué 1.5

Deus estava dizendo: "Essa é a minha promessa, Josué, e você pode botar fé nisso!". Percebe o valor do contexto nessa passagem das Escrituras? Agora

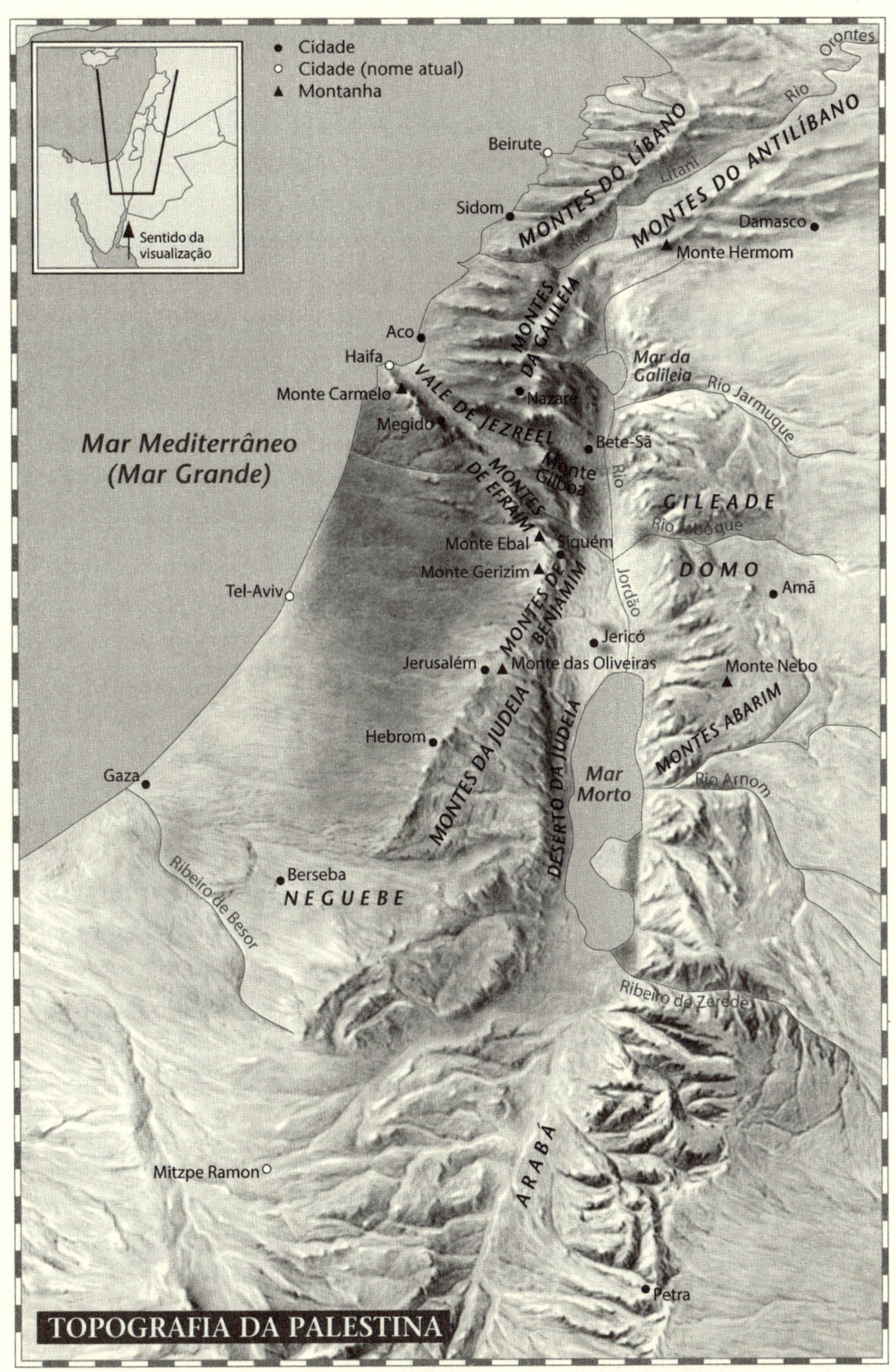

TOPOGRAFIA DA PALESTINA

já conhecemos os limites do quadro geral, o objetivo específico (a conquista) e a promessa divina. Tudo isso está embutido nos versículos 3 a 5.

A seguir, encontramos o desafio de Deus a Josué nos versículos 6 a 9:

> Seja forte e corajoso, pois você conduzirá este povo para tomar posse da terra que jurei dar a seus antepassados. Seja somente forte e muito corajoso. Tenha o cuidado de cumprir toda a lei que meu servo Moisés lhe ordenou. Não se desvie dela nem para um lado nem para o outro. Assim você será bem-sucedido em tudo que fizer. Relembre continuamente os termos deste Livro da Lei. Medite nele dia e noite, para ter certeza de cumprir tudo que nele está escrito. Então você prosperará e terá sucesso em tudo que fizer. Esta é minha ordem: Seja forte e corajoso! Não tenha medo nem desanime, pois o SENHOR, seu Deus, estará com você por onde você andar.
>
> Josué 1.6-9

Os versículos 6 e 7 repetem a ordem: "Seja somente forte e muito corajoso". Mais uma vez, o versículo 9 diz: "Seja forte e corajoso!". Então, a mesma ordem ressurge no último versículo do capítulo:

> Quem se rebelar contra as suas ordens e não obedecer às suas palavras será morto. Seja somente forte e corajoso!
>
> Josué 1.18

Em uma narrativa, a repetição indica que estamos diante de termos significativos. Neste caso, isso quer dizer que você precisa verificar o significado de *forte* e de *corajoso*. Ao estudar uma passagem das Escrituras, é necessário desenvolver uma definição do que significam as palavras-chave. Você precisará de um dicionário bíblico para isso. Pode ser que você passe trinta a quarenta minutos investigando essas palavras, verificando as definições e tomando nota delas em seu diário ou nas margens da sua Bíblia.

Se quiser conhecer a Bíblia, é fundamental que tome nota dos resultados do seu estudo. Se quiser ensinar as Escrituras, suas anotações pessoais desempenharão papel vital em seu ensino. Você cultivará sua habilidade de ensinar disciplinando-se a estudar o contexto, o significado das palavras, as definições, os locais e outros detalhes importantes. Toda essa preparação acrescenta profundidade à sua exposição.

O ensino por meio da interpretação

O próximo passo do estudo bíblico é a interpretação. Lembre-se: quando o Senhor escreve alguma coisa quatro vezes em um único capítulo de sua Palavra, existe uma razão para isso. A interpretação nos ajuda a investigar por que ele repetiria quatro vezes a frase "Seja forte e corajoso". Ao que parece, Josué se sentia temeroso — mais que meramente intimidado.

Durante meus mais de cinquenta anos de ministério, segui as pegadas de algumas pessoas bastante influentes. Lá em 1967, deixei uma igreja na Nova Inglaterra e me tornei pastor da Irving Bible Church, no Texas. O dr. Stanley Toussaint, meu professor de grego no seminário, havia sido o pastor anterior. Ele deixou um legado significativo ali, e a igreja o amava e o respeitava. Eu era mais jovem e menos experiente, de modo que me sentia um pouco intimidado.

Hoje sou o pastor sênior da Stonebriar Community Church, e adivinhe quem está na congregação? O mesmo homem, o dr. Stanley Toussaint! Acredite em mim: quando alguém lhe ensinou tanto quanto o dr. Toussaint me ensinou, você é levado a pensar por que é você quem está no púlpito pregando enquanto ele está sentado na congregação! Na minha cabeça, ele precisa estar pregando e eu preciso estar sentado no banco. Mas esse é o chamado de Deus, não o meu. Devo acrescentar que o dr. Toussaint sempre me apoiou, me estendeu graça e me encorajou — é um grande mentor e amigo.

Quando retornei ao Seminário Teológico de Dallas e me juntei à equipe de liderança, sentei-me na cadeira onde o dr. John Walvoord havia sentado por mais de trinta anos, seguido pelo dr. Donald Campbell, que serviu como presidente por oito anos. Depois do mandato do dr. Campbell, o seminário me chamou para liderar a escola. Foi necessário um grande trabalho de convencimento da parte deles — sem mencionar a poderosa inspiração do Espírito Santo — para que eu dissesse sim.

Resisti fortemente ao chamado no início porque não me sentia qualificado. Enquanto lutava contra aquilo que eu deveria fazer, Cynthia me disse:

— Acho que é uma boa ideia.

— De que lado você está? — respondi. — Não posso ir para lá. Ali estão todos os maiores intelectuais em teologia.

— Eles não estão procurando outro teólogo — replicou ela. — Estão procurando um pastor.

Essa foi uma ideia que eu não havia considerado. Finalmente aceitei, mas tive de me prevenir contra a tentação de permanecer intimidado. Tal como Josué, que assumiu o lugar de Moisés, eu precisava ser "forte e corajoso".

Se o seu propósito é ensinar sobre Josué, você precisa se colocar no lugar dele. Precisa se imaginar sendo o novo líder. Imagine como deve ter sido, ciente de que Moisés morrera havia apenas trinta dias e que, embora estivesse ausente fisicamente, ainda estava vivo na mente dos israelitas. Até aquele ponto, Josué havia sido o assistente de Moisés, servindo nos bastidores. Agora, deveria ser o líder do povo. Essa mudança exigiria força e coragem.

Quando interpretar esses versículos, você precisa fazer perguntas como estas: "Onde ficam esses lugares? Quem são os hititas? Qual é a diferença entre *forte* e *corajoso*?". E, com alguma imaginação, pergunte-se: "Como Josué deve ter se sentido?". Você precisa buscar com afinco a informação pertinente em seus recursos bíblicos, assim como através de sua própria imaginação santificada. Permita que ela vagueie aqui e acolá. Imagine sentimentos, conversas e lutas. Ao fazê-lo, as pessoas e os eventos nas páginas das Escrituras ganharão vida.

O ensino por meio da correlação

Isso nos leva à correlação. Como você deve se lembrar, a correlação consiste em descobrir o que a Bíblia diz em outras partes sobre os mesmos assuntos ou temas. Estamos nos concentrando nas palavras que Deus deu a Josué quando chegou a hora de ele assumir a liderança. Até então, ele não havia liderado o povo; Deus ainda o estava preparando. O segredo da liderança é o mesmo segredo de transmitir verdades sobre a Palavra de Deus ou desenvolver um caráter piedoso: a preparação. Deus estava preparando Josué para aquilo que estava diante dele. Existem várias passagens em que Deus trata da preparação de modo semelhante a Josué 1.6-8:

- Em Deuteronômio 1, Deus ordena aos israelitas que deixem o monte Sinai e escolham a liderança necessária.
- Em Deuteronômio 11.22-24, Deus chama Israel a obedecer, amar e servir ao Senhor usando palavras similares às de Josué 1.

- Em Juízes 1, os israelitas não seguem tudo que o Senhor havia ordenado que fizessem sob a liderança de Josué. Em vez de expulsar os cananeus, toleraram um inimigo que, por fim, se tornou um espinho na carne deles. Não fizeram exatamente o que Josué lhes ordenara; não foram fortes nem corajosos.

Essas passagens correspondentes nos ajudam a ver como Josué 1 se assemelha a passagens anteriores e também o que aconteceu depois que o povo não obedeceu. A correlação sempre amplia nosso conhecimento do assunto e nos ajuda a entender as Escrituras em um nível mais profundo e amplo.

O ensino por meio da aplicação

Por fim, chegamos à aplicação, o passo mais importante. Essa também é a minha parte favorita, pois a aplicação tem a ver com determinar o que os versículos significam para mim e o que podem significar para outras pessoas. Em primeiro lugar, perguntamos: "Isso se aplica a algo na minha vida ou na vida de outra pessoa?". Em algum momento, todos nós lidamos com o medo e a intimidação. Você pode ter ido ao médico nesta semana e recebido diagnósticos que lhe roubaram a tranquilidade. O que a Bíblia diz sobre Josué poderia ser dito a qualquer um que esteja enfrentando o medo. Se você precisa de coragem, conseguirá se identificar com o desafio que Josué enfrentou. Talvez você esteja prestes a se tornar o sucessor de um líder bem-sucedido e agora é a sua vez de liderar. Seu antecessor se foi, mas a voz dele está impregnada nas paredes. Você pode aplicar a passagem a essa situação.

Todas essas conexões acontecem por meio da aplicação. Eis alguns princípios aplicáveis que podemos extrair de uma seção das Escrituras. Primeiro, A. W. Tozer disse que *nada que é de Deus morre quando um homem de Deus morre.*[4] Extraio esse princípio de Josué 1.1-9. Moisés estava morto, e Josué estava prestes a assumir a liderança. Nada que era de Deus morreu. Posso aplicar esse princípio fazendo o seguinte questionamento: "Você já perdeu alguém que significava muito para você? É bem provável que sim. Pode ter sido seu cônjuge, seu filho, um dos pais ou um amigo muito próximo. Mas esteja certo disto: nada que é de Deus morreu".

Não sei quantas vezes, em funerais, o cônjuge enlutado veio a mim e disse: "Gostaria de ter morrido com ele [ou ela]". Faço um grande esforço para dizer, com sensibilidade: "Pense da seguinte maneira. O mesmo Deus que cuidou da morte de seu ente querido optou por deixar você aqui. Ele sabe o que está fazendo. Nada que é de Deus morre quando um homem ou uma mulher de Deus morre. Ele ainda é o mesmo Deus. Ele planeja usá-lo de uma maneira diferente agora. Deus não é *quase* soberano. Ele permitiu intencionalmente que você vivesse por razões que vai lhe revelar".

Outro princípio que podemos extrair dessa passagem é que *a obediência parcial leva à desobediência completa*. Verdade seja dita, não existe essa coisa de obediência parcial. Ou você é obediente ou não é. Às vezes tentamos nos justificar, dizendo: "Bem, cumpri vários mandamentos de Deus, mas não todos". Então você quebrou todos os mandamentos. É por isso que Deus diz a respeito de sua lei: "Não se desvie dela nem para um lado nem para o outro". Veja novamente Josué 1.7:

> Seja somente forte e muito corajoso. Tenha o cuidado de cumprir toda a lei que meu servo Moisés lhe ordenou. Não se desvie dela nem para um lado nem para o outro. Assim você será bem-sucedido em tudo que fizer.

Outro princípio importante é que *o desvio resulta em devastação*. Deus deixou isso claro para Josué ao lembrá-lo de que não deveria afastar-se de seu chamado. O sucesso de Josué se alicerçava em sua fidelidade a Deus.

Devo acrescentar esta nota sobre a aplicação: ela deve vir acompanhada de perguntas cruciais. Por exemplo, você pode se perguntar: "Existe alguma decisão importante que preciso tomar?". Aqui está outra: "Como posso transformar meus temores e ansiedade em confiança?". Talvez você esteja desperdiçando seu tempo em medo e se agitando por causa da ansiedade. Você tem se preocupado e lutado com isso e com aquilo. Sabe que precisa se conscientizar de que o Senhor está com você aonde quer que você vá e que ele nunca o abandonou. Pergunte a si mesmo: "O que devo fazer para me lembrar disso?".

Sou lembrado da grandeza do amor de Deus por nós pelo profeta Isaías. Que tal decorar estas palavras tranquilizadoras?

> Pode a mãe se esquecer do filho que ainda mama?
>
> Pode deixar de sentir amor pelo filho que ela deu à luz?

Mesmo que isso fosse possível,
eu não me esqueceria de vocês!
Vejam, escrevi seu nome na palma de minhas mãos.

Isaías 49.15-16

Não é uma passagem impressionante das Escrituras? Vale a pena lê-la novamente. Perceba que ela vem direto das anotações de Isaías! É como se Deus estivesse nos dizendo: "Sei exatamente onde vocês estão". Você pode ter perdido seu emprego. Pode se sentir abandonado. Mas não fique parado aí. Você tem um Deus onipotente que sabe todas as coisas. O fato é que tudo que você faz está sempre diante dele. Ele tem um plano para você, e esse plano está cheio de esperança. Deus nunca desistirá de você. Pedro lembra a suas igrejas esta verdade fundamental:

Na verdade, o Senhor não demora em cumprir sua promessa, como pensam alguns. Pelo contrário, ele é paciente por causa de vocês. Não deseja que ninguém seja destruído, mas que todos se arrependam.

2Pedro 3.9

Não é um pensamento maravilhoso? Esse lembrete do desejo de Deus por nossa salvação me leva a outra pergunta crucial: você precisa aceitar Cristo como seu próprio Salvador? Precisa crer no Senhor Jesus, que morreu na cruz e pagou plenamente a pena por seu pecado? É bem provável que você tenha ouvido uma mensagem como essa antes — talvez muitas e muitas vezes na sua vida. Mas você já confiou em Jesus em nível pessoal?

Talvez a aplicação derradeira no final desta seção seja simplesmente: "Eu preciso confiar em Deus. Preciso andar com Deus. Estou distante dele há tempo demais. Quero ter um relacionamento com ele que dure eternamente". Quando Deus diz que está conosco sempre (Mt 28.20), ele quer dizer *sempre*.

Aplicações como essa são invariavelmente apropriadas. Quando ensinamos, nunca devemos presumir que todos os que estão ouvindo fazem parte da família eterna de Deus.

Pondo a mesa

Assim que tiver passado pelo processo de *observar* o texto, *interpretar* a passagem e *correlacioná-la* com outros trechos das Escrituras, é fácil enxergar o poder da *aplicação*. Parte da preparação consiste em conhecer sua audiência ou congregação o suficiente para apresentar as Escrituras de tal maneira que a ajude a aceitar a verdade — na situação em que ela se encontra.

Preparar-se para ensinar ou pregar a Bíblia é bem semelhante a pôr uma mesa linda para uma refeição deliciosa. É parte vital do processo que resulta em alimento para a alma.

Obviamente, pôr a mesa leva à melhor parte: comer uma refeição deliciosa. Primeiramente, porém, você precisa saber como será o sabor dela. Assim como o *chef* que preparou a refeição, você precisa prová-la antes de servi-la a outros. A aplicação do texto bíblico sempre começa com o professor ou o pregador. Devemos aplicar as Escrituras à nossa própria vida antes de podermos desafiar os outros a fazer o mesmo. Portanto, é hora de fazer nossa refeição passar pelo "teste do sabor". Está pronto?

Sua vez na cozinha

Agora que aprendemos como preparar uma refeição, é hora de pôr a mesa de uma maneira que complemente o banquete prestes a ser servido. Aqui estão alguns exercícios que o ajudarão a se preparar para ensinar ou pregar a Palavra de Deus.

1. No final do capítulo 7, trabalhamos na aplicação de Efésios 4.17-32. Agora é hora de se preparar para apresentar o que você aprendeu. Pense em uma pessoa ou em um grupo ao qual possa ensinar essas verdades. Pode ser uma classe da escola dominical, um amigo, um grupo no trabalho, um pequeno grupo que se reúne na sua casa ou até mesmo seus filhos ou netos. Sua audiência pode ser composta por adultos, adolescentes ou crianças. Assim que tiver determinado qual é a sua audiência, planeje como apresentará as verdades de Efésios 4.17-32 de maneira envolvente e proveitosa. Veja algumas questões a considerar:

   O que você pode fazer para ajudar seus alunos a enxergarem as observações que você fez no texto?

O que precisa ser explicado para que eles entendam o significado desses versículos?

Que outras passagens você deve destacar para mostrar a correlação entre os mandamentos de Paulo e outros trechos das Escrituras? Seria útil usar uma versão bíblica adicional ou uma paráfrase?

Quais aplicações específicas da passagem serão mais proveitosas para a sua audiência?

Siga no seu ritmo enquanto se prepara para servir este banquete das Escrituras. Seus ouvintes serão beneficiados quando você os conduzir pelas verdades bíblicas com paciência e confiança.

2. Agora, siga os mesmos passos com outra passagem na qual tenha trabalhado. Você pode usar o encontro de Jesus com Nicodemos, em João 3; a exortação de Paulo à igreja de Filipos, em Filipenses 4.4-9; ou a parábola de Jesus sobre o bom samaritano, em Lucas 10.25-37. Tenha sempre em mente a audiência específica a quem você pode apresentar essa mensagem. Prepare a passagem que escolher passando pelas perguntas do tópico anterior.

Prossiga com entusiasmo genuíno e grande expectativa. Deus prometeu abençoar a proclamação de sua Palavra: ela nunca voltará vazia! Seja encorajado pela leitura de Isaías 55.10-11.

9
Experimentando uma porção

O aprendizado sobre onde nos encaixamos na história

Você já compareceu a um evento culinário de degustação no qual são distribuídas porções grátis? O processo como um todo pode ser interessante — ver o *chef* preparar a comida e sentir os aromas tentadores que flutuam na sua direção — mas, sem sombra de dúvida, o ponto alto acontece quando você de fato prova um bocado.

Ao preparar uma refeição apropriada para a realeza, os *chefs* escolhem cuidadosamente os temperos, o corte correto da carne, a mistura de legumes e os sabores delicados da sobremesa. Estão informados sobre sua audiência, desejosos de elaborar algo que trará satisfação, além de ser saudável e delicioso. Depois de toda a preparação envolvida na elaboração de um prato rebuscado, eles querem estar absolutamente certos de que tudo tem o gosto adequado.

Essa atenção cuidadosa aos detalhes é ainda mais importante quando se prepara um estudo bíblico ou um sermão que será apresentado aos outros. Mas precisamos garantir que nós mesmos estamos recebendo uma dieta sólida da Palavra antes de servi-la aos outros. Nunca devemos nos esquecer do que o autor de Hebreus declara:

> Pois a palavra de Deus é viva e poderosa. É mais cortante que qualquer espada de dois gumes, penetrando entre a alma e o espírito, entre a junta e a medula, e trazendo à luz até os pensamentos e desejos mais íntimos.
>
> Hebreus 4.12

A Palavra viva de Deus deve penetrar e sondar nossa alma antes de podermos apresentar aos outros aquilo que ele disse. Somente depois de nosso coração ter sido examinado, purificado e abrandado por Deus e somente depois de termos nos aberto à sua instrução, encorajamento, repreensão e correção é que estaremos prontos para ensinar suas verdades às pessoas.

Uma parábola sobre preparação

Em Marcos 4, Jesus conta uma história que ilustra a importância de ouvir e ser ensinável. Para ter uma ideia do contexto dessa história, vamos conversar um pouco sobre o local onde Jesus estava ensinando naquele momento. O Monte das Bem-aventuranças (como ele é chamado hoje) é uma leve encosta que vai se elevando desde a margem norte do mar da Galileia. É muito provável que o hoje imortal Sermão do Monte que Jesus pregou tenha sido apresentado nessa colina ou em outra próxima a ela. O mar forma uma baía calma na parte norte, a Baía das Parábolas. Acredita-se que Jesus, em seu ministério na Galileia, tenha compartilhado nesse local muitas das parábolas que encontramos nas Escrituras. Era exatamente ali que Jesus e seus amigos e seguidores mais próximos estavam quando ele contou a história registrada em Marcos 4.

É interessante notar que esse terreno fornecia uma espécie de anfiteatro natural que melhorava a acústica. Mesmo sem o uso de microfones e alto-falantes, a voz de uma pessoa podia ser ouvida facilmente ali por um grupo grande de pessoas. O teólogo James Edwards escreveu: "Cientistas israelenses verificaram que a 'Baía das Parábolas' pode transmitir a voz humana sem esforço a milhares de pessoas na costa".[1]

Meu amigo de longa data, o dr. Wayne Stiles, parte vital de nosso ministério Insight for Living [no Brasil, Razão para Viver] e um apaixonado pela terra de Israel, disse que, em uma de suas viagens, ele e seu grupo testaram essa declaração. Ele ficou em pé à beira-mar e pediu que alguns de seus colegas de viagem subissem a colina. Ele contou: "Falei em um tom normal de conversa, e cada palavra pôde ser ouvida por aqueles que estavam lá".

Ainda mais intrigante é que Jesus não apenas ficou à beira-mar; ele entrou em um barco de pesca, afastou-se da margem e usou o barco como uma espécie de púlpito para contar sua história aos que haviam se reunido ali. Parece que todos haviam chegado até o local de maneira espontânea. Ninguém tinha debaixo do braço um rolo das Escrituras antigas. Muito provavelmente, as pessoas que ali apareceram vinham das redondezas da Galileia, talvez de Nazaré, a cidade da infância de Jesus, e talvez até mesmo da área montanhosa do norte, de cidades mais distantes como Cesareia de Filipe. Todas essas pessoas juntas formavam uma grande multidão.

Valendo-se da acústica privilegiada daquela colina, Jesus começou a falar. Todo mundo gosta de uma boa história — e uma boa história envolve personagens intrigantes. Nosso interesse cresce com o desenrolar do enredo, chegando por fim a uma conclusão inesperada.

Vale a pena lembrar que em toda parábola existe uma lição espiritual maior, a qual nunca queremos perder. Podem existir outras mensagens menores, mas sempre existe um ensinamento especialmente importante que pode ou não ter sido declarado. Essa parábola não é exceção. Com a ajuda da imaginação, podemos quase ouvir a voz de Jesus enquanto ele falava de dentro do barco, na baía.

Lembro-me de ir pescar, quando menino, com meu pai e meu avô materno. Nós três nos sentávamos no barco do meu avô — um barco de pesca de cinco metros com um pequeno motor Evinrude de 35 cavalos fixado na popa. De manhã bem cedo, saíamos em direção ao meio da baía Carancahua, que se abre para a baía Matagorda e, por fim, leva ao golfo do México.

Nossa baía costumava ser calma, sobretudo nas horas que antecediam o amanhecer. Quando meu avô desligava o motor, jogávamos nossas linhas para pescar. Naquele tempo, eu usava uma vara de pescar longa, de madeira. Jogava minha linha na água e esperávamos em silêncio. A água era tão tranquila que, quando minha linha encostava na água, formavam-se vários anéis em torno dela.

Quando a água está assim tão parada, dizemos que ela está lisa. Aprendi rapidamente que quando havia outros barcos na água, era possível ouvir tudo que as pessoas diziam, ainda que estivessem a centenas de metros de distância. (Era pura bisbilhotice.) Ainda posso ouvir meu pai dizer com um sorriso no rosto: "Escute, filho. Você vai aprender muita coisa".

Observação da parábola

Ao lermos a história em Marcos 4, vamos imaginar o silêncio ao redor conforme a voz de Jesus era levada pelas águas tranquilas. Enquanto estudamos, queremos observar, interpretar, correlacionar e aplicar, como aprendemos a fazer neste livro. Começaremos observando as Escrituras — ver o que os versículos dizem da maneira original como Marcos os escreveu.

> Mais uma vez, Jesus começou a ensinar à beira-mar. Em pouco tempo, uma grande multidão se juntou ao seu redor. Então ele entrou num barco e sentou-se, enquanto o povo ficou na praia.
>
> Marcos 4.1

Marcos nos conta exatamente onde Jesus estava: à beira-mar. Façamos uma pausa e pensemos na razão disso. Talvez a multidão fosse tão grande que Jesus tenha sido empurrado quase até a beira da água. Ele precisou entrar no barco para abrir algum espaço entre a multidão e ele próprio. Imagine a cena, enquanto Jesus entra no barco e se senta. Jesus raramente ensinava em pé. Na verdade, até os dias atuais, os rabis costumam se sentar tal como nos dias antigos. A seguir, lemos isto:

> Ele os ensinou contando várias histórias na forma de parábolas, como esta.
>
> Marcos 4.2

Ao deparar com palavras que não lhe sejam familiares, é importante verificá-las. Procurar definições é uma boa maneira de ir mais fundo, se você quiser conhecer de fato a sua Bíblia. Você deve se lembrar de que "parábola" vem do grego *paraballo*. *Para* significa "ao lado", e o verbo *ballo* significa "colocar ou lançar". Quando colocamos as duas palavras juntas, ela significa "lançar ao lado de; comparar de modo a constatar semelhança ou similaridade".

Você não precisa ser acadêmico para fazer nada disso: existem livros e ferramentas eletrônicas que fornecem essas informações. Se você possui um dicionário bíblico, procure a palavra *parábola*. Definir palavras é um passo simples, mas é importante que você desenvolva suas habilidades como estudante da Palavra.

Quando encarar com seriedade seu estudo bíblico, você já não se satisfará em se sentar apenas com uma Bíblia no colo. Também desejará ter um bloco de papel onde possa fazer anotações. Faço isso toda vez que estudo. Uso blocos amarelos (não sei por que, mas eles precisam ser amarelos!) e escrevo neles todas as minhas anotações. Com base nessas anotações, transfiro as informações para as lições que vou dar ou para os sermões que vou pregar. É um processo simples, e você pode fazer o mesmo.

Ao ler Marcos 4, estou pensando e aprendendo enquanto leio. Posso tomar notas como estas: "Jesus está no lago. Ele está em um barco. Uma grande multidão está reunida. Ele se senta e começa a ensinar". Depois de fazer essas observações, leio a declaração inicial de Jesus:

> Ouçam! Um lavrador saiu para semear.
>
> Marcos 4.3

Enquanto leio, observo que Jesus usa o verbo "ouvir". Essa é uma observação simples e básica, mas é valiosa; portanto, concentre-se! Não deixe que sua mente divague para um jogo de futebol, para o que você preparará no jantar ou para uma tarefa que tenha de fazer no trabalho — não faça isso se você deseja extrair alguma coisa das Escrituras. Ore pedindo a capacidade de se concentrar e de prestar total atenção ao estudo. Por quê? Porque toda palavra que Jesus diz é importante. Diferentemente de nós, Jesus não fala coisas que não levam a lugar algum. Ele não usa palavras redundantes ou supérfluas. Suas palavras são significativas; nenhuma delas é desperdiçada. Ao ouvir o que ele está dizendo, podemos entrar na cena. Vá até lá! Nesta passagem, sabemos que Jesus está à beira-mar e está ensinando as pessoas por meio de uma história. Você pode até mesmo ler em voz alta, de modo lento e ponderado:

> Ouçam! Um lavrador saiu para semear.

O mundo agrícola da semeadura pode ser desconhecido para você. Muitas pessoas de nosso mundo hoje nunca plantaram nada. Trabalhei em uma fazenda por tempo suficiente para saber que não queria trabalhar em uma fazenda pelo resto da vida! É extremamente cansativo. Sem muita experiência em agricultura, não sei que atividades estão envolvidas na plantação de uma semente. E certamente nunca vi como as sementes eram plantadas no primeiro século.

Depois de pesquisar um pouco, descobri como isso era feito. Uma vez que, nos dias de Jesus, os lavradores não tinham equipamentos ou maquinários, eles colocavam a mão em um saco e espalhavam as sementes. Para distribuí-las pelo local da plantação eles as atiravam aqui e ali enquanto caminhavam pelo campo. Essa cena muito provavelmente era bem familiar à audiência do primeiro século. Jesus estava usando uma imagem conhecida para aquelas pessoas, a fim de ajudá-las a aprender algo que elas não conheciam do reino espiritual. Se você vai ensinar por meio de ilustração ou analogia, comece sempre com algo familiar. Pode ser um peixe, uma moeda, uma bola ou um espelho. Seja o que for, deve ser algo comum e instantaneamente familiar a seus ouvintes. Seu objetivo é usar aquilo como ponte para ensinar algo novo e não familiar.

Gosto muito de como o dr. Warren Wiersbe descreve a parábola: "As parábolas começam como *imagens*, depois se tornam *espelhos* e por fim se transformam em *janelas*. Primeiro existe a *percepção*, o momento em que vemos uma fatia da vida na imagem; depois, existe o *discernimento*, o instante em que vemos a nós mesmos no espelho; e por fim existe a *visão*, quando olhamos pela janela da revelação e enxergamos o Senhor".[2]

Que descrição valiosa! No final, a parábola se torna uma janela, capacitando-nos a enxergar além do óbvio. Através dessa janela do entendimento, podemos ver o Senhor em ação no reino espiritual. Mantenha essa descrição em mente ao ler as palavras de Jesus.

> Enquanto espalhava as sementes pelo campo, algumas caíram à beira do caminho, e as aves vieram e as comeram.
>
> Marcos 4.4

Eu escreveria no meu bloco de notas: "A primeira semente caiu na beira do caminho". Imagine isso em sua mente. Todos já seguimos por caminhos em áreas movimentadas. A semente que caísse nesse caminho ficaria ali, por cima do chão duro, possibilitando que os pássaros viessem e a pegassem. Em meu bloco de notas, eu registraria o resultado que Jesus menciona.

> Outras sementes caíram em solo rochoso e, não havendo muita terra, germinaram rapidamente, mas as plantas logo murcharam sob o calor do sol e secaram, pois não tinham raízes profundas.
>
> Marcos 4.5-6

Esse segundo exemplo nos leva a uma área de plantação diferente. Existe um pouco de terra e, por baixo dela, existe rocha. Recentemente, vi alguns trabalhadores da construção civil escavando não muito longe de minha casa. O solo em nossa região está repleto de pedras, o que dificulta a escavação. Quando vi uma pilha de pedras no local, logo pensei nessa parábola.

Os lavradores daquele tempo enfrentavam o mesmo desafio. Conforme lançavam suas sementes, algumas delas caíam em um pequeno aglomerado de terra, com pedra por baixo. A semente germina, mas não cria raízes. Ela fica no solo raso, e não leva muito tempo até que a planta seque e morra. Eu registraria tudo isso no meu bloco de notas.

Conforme estudo, começo a observar uma progressão, que se torna clara com a menção da terceira categoria de semente.

> Outras sementes caíram entre espinhos, que cresceram e sufocaram os brotos, sem nada produzirem. Ainda outras caíram em solo fértil e germinaram, cresceram e produziram uma colheita trinta, sessenta e até cem vezes maior que a quantidade semeada.
>
> Marcos 4.7-8

Veja o versículo 7, que descreve o solo espinhoso. Jesus declara que quando existe uma combinação de sementes e espinhos, os espinhos vencem. Eu tomaria nota disso também.

A quarta categoria representa o solo fértil. O que acontece aqui? O solo é macio, e a semente cai sobre ele. A semente germina, cria raiz, brota, cresce e começa a produzir uma colheita — trinta, sessenta e cem vezes maior que o que foi plantado. Mais uma vez, todas essas observações estariam registradas no meu bloco de notas.

> Então ele disse: "Quem tem ouvidos para ouvir, ouça com atenção!".
>
> Marcos 4.9

A multidão estava sentada na colina, ouvindo e pensando. Jesus havia usado um cenário com o qual todos eles estavam familiarizados. Talvez até houvesse um lavrador em um monte próximo dali que podia estar semeando seus campos. Jesus pode ter apontado para ele e dito algo como: "Sabe, assim como um lavrador vai até seu campo e lança sementes...". Existem ilustrações reconhecíveis em toda parte ao nosso redor.

Sir Christopher Wren, arquiteto do século 17, está sepultado na Catedral de São Paulo, a grande igreja que foi planejada por esse gênio da arquitetura. Em sua lápide há uma inscrição simples em latim, que traduzida diz: "Se você procura o monumento dele, olhe em volta". Se você estivesse sentado naquela grande catedral hoje, estaria cercado pelo monumento daquele homem. Isso é que é uma imagem feita de palavras!

Jesus encontrou diversas imagens e verdades nas coisas comuns da vida, todas elas planejadas para nos levar ao Senhor, contanto que simplesmente olhemos para elas. Com atenção, essas imagens acabarão se tornando janelas que nos revelam o Senhor.

Podemos encontrar tudo isso e muito mais em Marcos 4. Se não tivermos cuidado, passaremos correndo de um capítulo para o seguinte, perdendo boa parte do que Jesus está ensinando. Lembre-se de que a Bíblia não entrega seus frutos à alma apressada nem à mente preguiçosa. Precisamos fazer uma pausa e deixar que o deslumbramento ocorra. Temos também de nos concentrar e liberar a imaginação. É por isso que ele diz: "Ouçam! Há muita coisa aqui para vocês".

A cena não termina com a história. Continue lendo.

> Mais tarde, quando Jesus estava sozinho com os Doze e os outros que estavam reunidos ao seu redor, perguntaram-lhe qual era o significado das parábolas.
>
> Marcos 4.10

Talvez os discípulos tenham pensado: "Nós entendemos o solo. Entendemos o lavrador. Todos nós vimos essas coisas desde crianças. Mas não sabemos o que o senhor está insinuando. O que há de tão inusitado em relação ao solo e às sementes?". Felizmente, toda a conjectura é extraída da parábola — para os discípulos e para nós.

Interpretação da parábola

Jesus respondeu especificamente à pergunta de seus discípulos sobre o significado da parábola. Com frequência, as parábolas são de difícil compreensão, mas essa Jesus interpretou para eles, explicando o significado com clareza. Observe atentamente:

> Então Jesus disse: "Se vocês não entendem o significado desta parábola, como entenderão as demais?".
>
> Marcos 4.13

Jesus estava dizendo que existe um padrão aqui que é semelhante em todas as outras parábolas. Sendo assim, procuraremos essas similaridades em suas histórias sobre o óbvio e o familiar.

Antes de irmos até lá, porém, permita-me repetir uma advertência feita anteriormente, em especial para quem se apega aos detalhes: tenha o cuidado de não fazer que cada pequena parte da história seja significativa. Jesus se concentra nos pontos essenciais. Se tentar "exaurir" a parábola, você terá paralisia analítica. Ficará desorientado com todos os detalhes e deixará passar o que está procurando: a lição principal.

Jesus era mestre em ensino. Ele não disse a seus ouvintes: "Desenrolem o rolo" porque eles não portavam rolos. Eles estavam sentados ali para ouvi-lo — muitos deles pela primeira vez — e, de repente, a mente deles ficou fascinada por aquela história que estava conectada a seu mundo familiar. Jesus foi o melhor exemplo de comunicação.

Ao responder à pergunta dos discípulos sobre o significado da parábola, Jesus disse basicamente: "Deixem-me ajudá-los". Ele não os envergonhou por não saberem. É como se tivesse dito: "Agora, ouçam com atenção, pois vou explicar a história". E foi exatamente o que fez. Jesus voltou para o início da história, explicando sua mensagem espiritual.

> O lavrador lança sementes ao anunciar a mensagem.
>
> Marcos 4.14

Façamos uma pausa aqui. Jesus mencionou a semente várias vezes ao longo da história. Perceba que a semente representa a mesma coisa, independentemente do lugar onde ela venha a cair. A semente é a mesma no terreno espinhoso, no caminho duro e no solo fértil. A semente não muda. Assim, o que é a semente? Jesus a identifica como a Palavra de Deus.

Ao compartilhar a mensagem de Cristo com outra pessoa, você está plantando uma semente, seja qual for a resposta. Quando prego, estou plantando uma semente. Quando bons professores se colocam diante de uma classe e compartilham a Palavra de Deus com seus alunos, é como se estivessem plantando uma semente, quer as pessoas presentes na classe a apreciem, quer a ignorem. A semente é a mesma, não importa onde seja lançada.

Permita-me acrescentar esta admoestação a todos os que ensinam a verdade de Deus: fique com a semente. Nunca a mude. Não procure outra coisa para plantar. A semente é a Bíblia, a Palavra de Deus, e Deus promete que ela jamais voltará vazia (Is 55.10-11).

Gosto muito de como o dr. Steven J. Lawson fala sobre manter a centralidade das Escrituras: "Esse foco centrado na Palavra no púlpito é a marca definidora de todos os verdadeiros expositores. Aqueles que pregam e ensinam a Palavra precisam estar de tal modo enraizados e firmados nas Escrituras a ponto de nunca se afastarem delas, sempre direcionando a si próprios e os ouvintes às suas verdades. A pregação bíblica deve ser exatamente isso: *bíblica*!". Ele continua: "Mas essa prescrição bíblica é um remédio desconhecido para muitos pregadores hoje. Em seu zelo por liderar ministérios populares e bem-sucedidos, muitos estão ficando menos preocupados em apontar para o texto bíblico. O uso que fazem da Bíblia é muito semelhante à execução do hino nacional antes de um evento esportivo — algo que é simplesmente ouvido no início, mas a que nunca se referem novamente, uma preliminar necessária que se torna uma intrusão estranha ao evento real. Ao tentarem ser contemporâneos e relevantes, muitos pastores falam *sobre* as Escrituras, mas, infelizmente, é muito raro que falem *com base* nela".[3]

Diferentemente dos ouvintes dos dias de Jesus, somos privilegiados por possuir a Palavra de Deus (a semente) de forma escrita. Devemos aproveitar esse privilégio e levar um exemplar das Escrituras conosco sempre que formos cultuar. Isso nos ajuda a reconhecer se a pessoa que está proclamando a Palavra de Deus (lançando a semente) está de fato falando a verdade.

Em seguida, Jesus explicou os diferentes tipos de solo. Todos os quatro tipos de solo representam tipos de pessoas que ouvem a Palavra de Deus. Algumas têm alma de solo duro, outras têm alma de solo rochoso, ainda outras têm alma de solo espinhoso e outras ainda têm alma de solo fértil. Vamos analisar os quatro tipos conforme a explicação de Jesus é apresentada.

Ele começou com o caminho duro.

As sementes que caíram à beira do caminho representam os que ouvem a mensagem, mas Satanás logo vem e a toma deles.

Marcos 4.15

Por meio dessa explicação, sabemos imediatamente o que o primeiro solo representa. É a condição do coração do receptor, o estado interior da alma. O que veio e tomou a semente? Foram os pássaros. Nesse caso, os pássaros da história representam Satanás. Jesus interpretou a parábola, mas quando contou a história ele não disse: "O diabo vem e leva a semente". Ele lhes oferece uma analogia que são capazes de entender. Todos os ouvintes já tinham visto pássaros pairando perto de um lavrador, na esperança de obter uma boa refeição enquanto ele caminhava lançando sua semente. Agora, Jesus está dizendo: "Esse solo duro representa aqueles que têm o coração duro".

Você talvez frequente a igreja porque é isso o que se faz aos domingos. Você escuta o sermão e, então, sai pela porta, mas não tem planos de permitir que a verdade de Deus impacte sua vida. Afinal de contas, não precisamos ser fanáticos! Assim, você segue a corrente das ações vazias da religião, sem que nada disso o prenda ou atinja algo profundo no seu coração. O que está errado? Você talvez tenha o coração duro. A semente cai ali e, pouco depois, é levada embora pelo inimigo. Acredite em mim: o inimigo não quer que você pense na Palavra de Deus — jamais! Ele quer levar a semente embora imediatamente, deixando você vazio e sem nada a que possa recorrer. Então você segue a vida do seu jeito, talvez afundando na depressão ou apenas fazendo o que quer por achar que não precisa de Deus. Mas essa não é a jornada pela qual o Senhor nos levaria. Ele quer que ouçamos sua verdade e que ela penetre e crie raízes em nossa vida. A resposta do coração duro é empurrar a Palavra de Deus para o lado — procrastinar na hora de estudá-la e, em última análise, ignorá-la.

Correlação da parábola

Façamos um pouco de correlação nesse ponto. A Bíblia inclui um exemplo de alguém com o coração duro: um homem chamado Félix. Lemos sobre

Félix, um governador, em Atos 24. Em suas notas, escreva "Atos 24.22-27: governador Félix".

O apóstolo Paulo estava preso em Roma. Félix mandou buscá-lo e concedeu-lhe uma audiência. Paulo explicou o evangelho ao governador (espalhou a semente). Este, porém, não estava pronto para ouvir a mensagem e ordenou que Paulo fosse mantido preso (At 24.23). Mais tarde, Félix trouxe Paulo de volta e, depois de ouvir um pouco mais sobre Jesus, livrou-se do apóstolo outra vez. Félix é um exemplo clássico de uma pessoa de coração duro. Ele ouviu a mensagem de Deus, mas em vez de levá-la a sério, brincou com ela. Você tem o coração duro se estiver continuamente cercado da verdade espiritual, mas ainda assim postergar o compromisso de seguir a Cristo. A semente nunca cria raízes; a Palavra de Deus nunca penetra.

Outro exemplo de pessoa com o coração duro é Alexandre, o artífice que trabalhava com cobre e que é mencionado em 2Timóteo 4.14-15. Na última carta escrita por Paulo, ele diz: "[Alexandre] me prejudicou muito [...]. [Ele] se opôs fortemente a tudo que dissemos". Alexandre era um homem de coração duro que não tinha interesse no evangelho.

A seguir, Jesus mencionou o solo rochoso.

> As que caíram no solo rochoso representam aqueles que ouvem a mensagem e, sem demora, a recebem com alegria. Contudo, uma vez que não têm raízes profundas, não duram muito. Assim que enfrentam problemas ou são perseguidos por causa da mensagem, cedo desanimam.
>
> Marcos 4.16-17

Nesse trecho, Jesus está descrevendo a pessoa que tenta encontrar um atalho para a fé. Imagino alguém que vem de um passado pecaminoso, alegando conversão, citando um ou dois versículos, andando com alguns cristãos e esperando tornar-se uma "celebridade cristã" por causa da mudança dramática ocorrida em sua vida. Todo mundo aplaude a história, uma vez que ela é notória, porque essa pessoa "encontrou a religião" — isto é, até que as coisas apertem. Quando isso acontece, as dificuldades se multiplicam. Pode ser que essa pessoa sofra perseguição, enfrente conflitos com autoridades, tenha problemas financeiros ou careça de orientação. Não demora muito e a desilusão substitui o zelo. Então, o que temos em nossas mãos é um Judas dos dias atuais.

É bom lembrar que Judas ouviu todos os ensinamentos que os outros discípulos ouviram. Judas estava entre os discípulos de Jesus, lembra-se? Pense nisso! Ele foi exposto a todos os milagres, ouviu todas as mensagens e testemunhou todos aqueles eventos transformadores. Mas a verdade nunca criou raízes de fato, nem deu frutos também. Ele estava espiritualmente perdido. Na verdade, Jesus mais tarde se referiu a ele como "filho da perdição" (Jo 17.12, RA).

Seria uma boa ideia fazer um estudo sobre Judas enquanto você correlaciona essa passagem. Sua alma de solo rochoso transformou-se em sua ruína. Ele aceitava o evangelho, mas nunca de fato o abraçou nem permitiu que criasse raízes.

Talvez essa também seja a sua história. Você gosta de estar com outros cristãos e aprecia os benefícios que eles trazem — talvez alguns contatos comerciais. Ou então pode ser que goste da paz que experimenta quando escuta as músicas na igreja, ou sente o interior se aquecer quando ouve algo que o pregador diz. Você é atraído por alguns aspectos da igreja, mas não é verdadeiramente um seguidor de Jesus. Se isso o descreve, você talvez tenha um coração de solo rochoso.

João registra uma cena triste com alguns seguidores desse tipo:

> Nesse momento, muitos de seus discípulos se afastaram dele e o abandonaram.
>
> João 6.66

Jesus não estava mais alimentando o estômago de seus seguidores. Não estava realizando tantos milagres. Como resultado, muitos decidiram que já haviam visto o suficiente. Estavam caindo fora. Pessoas assim estão completamente perdidas, muito embora você possa achar que elas foram salvas por causa de seu breve fervor quando declararam conhecer Cristo. No longo prazo, porém, demonstram falta de autenticidade. Nada de raízes. Nenhum fruto. Nenhuma fé. Nenhuma vida em Cristo.

Agora a história de Jesus fica realmente interessante. O solo espinhoso é mencionado a seguir. Preste bastante atenção.

> As [sementes] que caíram entre os espinhos representam outros que ouvem a mensagem, mas logo ela é sufocada pelas preocupações desta vida, pela sedução da riqueza e pelo desejo por outras coisas, não produzindo fruto.
>
> Marcos 4.18-19

Epithumia é a palavra grega traduzida por "desejo". Pode se referir a um desejo saudável ou a um desejo prejudicial. Nesse caso, é um desejo maligno. Juntamente com as preocupações da vida e o desejo de enriquecer, as pessoas com almas de solo espinhoso têm o desejo sempre crescente por "outras coisas". Estão presas no materialismo. Um adesivo desses que as pessoas colocam no carro diz o seguinte: "Aquele que morrer com mais brinquedos é o vencedor". É nisso que você acredita quando ninguém está olhando? Sua motivação é ficar rico. Não existe nada intrinsecamente errado com a riqueza, mas há algo enganoso no *amor* pelas riquezas. As coisas podem se voltar contra você!

Blake Proctor dá este exemplo:

> Dan, um rapaz solteiro que vive em casa com o pai e trabalha no negócio da família, descobriu que iria herdar uma fortuna quando o pai doente morresse. O filho decidiu que precisaria de uma esposa com a qual pudesse compartilhar sua fortuna.
>
> Certa noite, numa reunião de investimento, ele deparou com a mulher mais linda que já vira. A beleza natural dela tirou-lhe o fôlego. "Posso parecer um cara comum", Dan disse a ela, "mas daqui a alguns anos, meu pai vai morrer e eu vou herdar 65 milhões de dólares."
>
> Impressionada, a mulher pegou o cartão de visita dele. Três dias depois, ela se tornou sua madrasta.[4]

De acordo com os princípios de Jesus nesta parábola, esse homem tinha um coração de solo espinhoso. Sua vida era consumida pela sedução das coisas superficiais — um desejo que, no final, sempre engana. Ou, então, considere a história a seguir. Quando pediu uma mulher em casamento, um homem disse:

— Meu amorzinho, quero que saiba que a amo mais que qualquer coisa deste mundo. Quero me casar com você! Teremos uma excelente vida juntos. Agora, eu não sou rico. Não tenho um iate nem um Rolls Royce como o Johnny Brown, mas realmente a amo de todo o meu coração.

Ela pensou por alguns instantes e, então, respondeu:

— Eu também o amo de todo o meu coração... mas *fale-me mais sobre o Johnny Brown*!

O amor pelo dinheiro sufoca a verdade das Escrituras. Quando a Bíblia fala à alma de solo espinhoso sobre sacrifício, essa palavra soa quase como algo obsceno. O sacrifício fala sobre abrir mão da própria vontade em favor da vontade do Senhor Jesus. A resposta do coração espinhoso é: "Por enquanto, não!".

Que tal vermos um exemplo bíblico de alguém que se perdeu no solo espinhoso? Em 2Timóteo 4.10, conhecemos Demas, o homem que "ama as coisas desta vida". Demas abandonou Paulo. No excelente livro do dr. Richard Seume, intitulado *Shoes for the Road* [Sapatos para o caminho], ele chama a partida de Demas de "a sedução de uma lealdade menor".[5]

O solo espinhoso está bem representado por toda a Bíblia. Não somos capazes de dizer se a alma de solo espinhoso é salva ou perdida. Uma vez que não quero esmiuçar o texto completamente, não vou fazer uma afirmação dogmática sobre isso. Se essa descrição o retrata, é necessário fazer a seguinte pergunta a si mesmo: "As coisas são assim porque não conheço Cristo ou porque estou andando na carne e não no Espírito? Cedi a coisas que me seduziram, a um hábito pecaminoso, talvez até a um vício? Sou salvo?". São perguntas assim que você precisa responder.

Por fim, existe o solo fértil, mencionado no final da história.

> E as que caíram em solo fértil representam os que ouvem e aceitam a mensagem e produzem uma colheita trinta, sessenta ou até cem vezes maior que a quantidade semeada.
>
> Marcos 4.20

O verbo "aceitar" vem do grego *dechomai*, que significa "acolher". A alma de solo fértil ouve a verdade e dá boas-vindas a ela. Se esse é o seu caso, então você almeja a Palavra de Deus. Você anseia que a boa semente seja plantada, fica alegre pela entrada dela em sua vida, aprecia a exortação e o encorajamento que ela traz. Você ama estar reunido com outros cristãos em torno da Palavra de Deus e deseja adorar o Deus vivo. Você é como a corça mencionada naquele tão querido cântico de adoração:

> *Como a corça anseia pelas águas*
> *eu anseio, ó Deus, por viver em tua presença.*

Você é como Timóteo em Atos 16. Ele ouviu e creu e, então, começou a viajar com Paulo. Você é como Nicodemos em João 3. Ele se encontrou com Jesus, desejando saber mais sobre o segundo nascimento. Em João 19, a semente já havia criado raízes em Nicodemos e ele estava revelando aos outros fariseus que era um seguidor devoto de Jesus. Ele até ajudou a preparar o corpo do Salvador para o sepultamento depois da crucificação.

Se você é como um desses seguidores genuínos de Jesus, eu o aplaudo por seu compromisso permanente.

Aplicação da parábola

Eis uma coisa interessante sobre essa parábola: todos os quatro solos *ouvem* a Palavra. Volte e verifique você mesmo. O solo do caminho ouviu a Palavra. O solo rochoso ouviu a Palavra. O solo espinhoso ouviu a Palavra. E o solo fértil ouviu e acolheu a Palavra. Quando a semente é plantada, todos ouvem a verdade. Não existe nada de errado com a audição deles; o problema está na atenção dada. Desse modo, muitos são "duros para ouvir" quando se trata da verdade. Não há nada de errado com a semente; o problema está obviamente com o solo.

Ao chegarmos ao final deste capítulo, insisto para que você faça uma pausa longa o suficiente para perguntar a si mesmo: "Que tipo de solo sou eu?".

Aqui está a mensagem principal da parábola: a condição do seu coração determinará o destino da sua vida. Quando você se colocar perante o Criador, ele não perguntará: "A quanto cultos da igreja você compareceu?", "Quanto dinheiro você doou?", "Qual foi o seu empenho em arrancar esses espinhos da sua vida?". Não. Ele muito provavelmente fará perguntas como estas: "O que você fez com a semente que foi depositada nos seus ouvidos? Ela criou raízes na sua alma? Fez alguma diferença no seu modo de viver? Ela influenciou a maneira como você respondeu aos desafios da vida? Você se submeteu, acima de qualquer outra coisa, a Cristo e sua cruz?". Essas são perguntas cruciais. Lembre-se da mensagem principal: a condição do seu coração determinará o destino da sua vida.

Qual solo representa o seu coração? Pessoas como seu cônjuge, seu amigo mais próximo ou seus pais não são capazes de responder a essa pergunta no seu lugar. Você deve responder por si mesmo. Pela graça de Deus e por sua fiel paciência, você pode chegar ao ponto em que ouvirá e dará boas-vindas à verdade de Deus.

Antes de poder servir a verdade a outros, você deve experimentá-la por conta própria. Mas isso nem sempre é fácil. Mesmo quando seu coração representa o solo fértil dessa parábola, ouvir e ensinar a Palavra de Deus pode ser desafiador, sobretudo quando estiver servindo em um lugar difícil. O próximo capítulo trata desse desafio muito real.

Sua vez na cozinha

Assim como é importante que o *chef* experimente a comida antes de servi-la, precisamos aplicar a Palavra de Deus à nossa própria vida antes de ensiná-la (ou pregá-la). Neste momento, gostaria de convidá-lo a dedicar tempo para examinar seu coração. Este exercício servirá como exemplo a ser seguido toda vez que você estudar as Escrituras.

1. Leia 1Pedro 1.13—2.3 lentamente e com atenção, e observe a passagem com cuidado. Faça uma lista dos tipos de comportamentos que Pedro enumera e dos quais deseja que os crentes se livrem. O que Pedro descreve como a semente imperecível de Deus? O que essa semente nos permite fazer? Uma vez que já provamos e vimos que o Senhor é bom, que nutrição Pedro sugere que devemos almejar, e por quê?

2. No capítulo 7 deste livro, aprendemos sobre o salmo 139 e como Deus nos criou. Naquele salmo, Davi detalha como Deus nos criou, nos conhece e permanece conosco. Nos dois últimos versículos do salmo, Davi pede a Deus que examine seu coração e lhe mostre qualquer pecado que haja em sua vida. Encontre um lugar calmo onde você não seja interrompido e leia cuidadosamente todo o salmo 139, meditando em como Deus é grande e registrando características específicas sobre ele pelas quais você é mais agradecido.

   Leia os dois últimos versículos do salmo 139 em voz alta, orando para que o Espírito de Deus examine seu coração. Responda ao direcionamento do Espírito com confissão, arrependimento, gratidão e louvor.

3. Leia Isaías 6.10-13. Nessa passagem, o profeta Isaías está chamando o povo de Judá a abrir mão de sua autoconfiança e se submeter a Deus. O que você deve fazer (e não fazer) com seus olhos, ouvidos e coração a fim de responder em obediência à santa Palavra de Deus?

4. Leia o salmo 19, que explica como Deus fala por meio da criação e de sua Palavra. Dê atenção particular aos versículos 7-11, que descrevem as Escrituras. Tome nota das características da Palavra de Deus. De acordo com essa passagem, como podemos ficar livres da culpa e inocentes de grande pecado diante do Senhor? Use Salmos 19.14 como base para uma oração sincera a Deus. Escreva essa oração com suas próprias palavras e use-a ao orar antes da próxima oportunidade de ensino que você tiver.

10
Alimentando o faminto

A apresentação da verdade

Onde quer que vivamos, existem à nossa volta pessoas espiritualmente famintas: pode ser um bairro com uma igreja em cada esquina, uma cidade com grande diversidade religiosa ou um vilarejo remoto cujos habitantes ainda não têm a Palavra de Deus em seu idioma materno. Todas as pessoas têm o profundo anseio de adorar alguma coisa maior que elas mesmas, e se não conhecerem o Deus verdadeiro, buscarão satisfazer esse desejo com um deus menor: um ídolo. Para alguns, seus ídolos são objetos tangíveis perante os quais eles se curvam em um templo ou em um santuário. Para outros, seus objetos de adoração são menos tangíveis, como dinheiro, reputação ou status, mas nem por isso são menos destrutivos.

A Palavra de Deus é a única coisa que alimentará as almas famintas que, de outra forma, ficariam vazias. A nutrição que coletamos ao observar, interpretar, correlacionar e aplicar as Escrituras não é unicamente para nós mesmos. Nosso chamado é servir aos famintos "o pão da vida" — o próprio Jesus (Jo 6.35). Jesus e suas verdades eternas e gratificantes são aquilo de que as pessoas têm fome, ainda que não se deem conta disso.

Uma visão da Atenas antiga

Na Atenas do primeiro século, o apóstolo Paulo viu-se diante de uma cidade tomada pela idolatria. Paulo um dia havia sido Saulo de Tarso, um rígido fariseu monoteísta. Ele havia se dedicado a estudar profundamente o Decálogo, ou os Dez Mandamentos, que se inicia assim: "Não tenha outros deuses além de mim" (Êx 20.3). Ao longo de sua vida e de seu ministério, Paulo afirmou repetidas vezes que Deus, e apenas Deus, é digno de adoração. Não há outro. A verdade é que adorar qualquer outro é prostituir a fé. Depois do encontro dramático de Paulo com Cristo, ele viu Jesus como o cumprimento de tudo aquilo para o que o Antigo Testamento apontava.

Em uma ocasião durante suas viagens, Paulo foi a Atenas, um cenário cultural e intelectual em que se viu cercado por ídolos — literalmente. Os acadêmicos gregos escreveram sobre os muitos ídolos presentes na cidade nos dias de Paulo. Pausânias diz: "Atenas tinha mais imagens que todas as demais cidades da Grécia juntas". Plínio acrescenta: "No tempo de Nero, Atenas tinha de 25 mil a 30 mil estátuas públicas, excluindo 30 mil no Partenon". Petrônio zomba: "Ora, é mais fácil encontrar um deus que um homem em Atenas".

Lucas, que escreveu o livro de Atos, começa o relato descritivo afirmando o seguinte:

> Enquanto Paulo esperava por eles em Atenas, ficou muito indignado ao ver ídolos por toda a cidade.
>
> Atos 17.16

Tendo em vista a situação espiritual de Paulo, não é surpresa que ele tenha ficado "indignado". A palavra original grega, *paroxuno*, significa "provocado, irritado, estimulado, incitado a agir". É claro que ele ficou indignado: havia ídolos por todo lado! Para todo lugar onde olhava, ele via ídolos. Estavam esculpidos em monumentos, expostos dentro de prédios, entalhados em pedra e feitos de toda forma e tamanho, de todos os materiais imagináveis. Xenofonte chamava Atenas de "um grande altar, uma grande oferenda aos deuses!".[1]

Paulo não estava irado; estava com o coração aflito. Não sentia ódio pelos atenienses; pelo contrário, estava abatido pela tristeza. Ele percebeu que aquelas pessoas estavam tão famintas por algo ou alguém para adorar que seus melhores artesãos continuavam esculpindo e erigindo ídolos, na esperança de que esse funcionaria, ou talvez aquele outro. Eles até construíram uma estátua chamada *Agnosto Theo*, ou "Deus Desconhecido".

Em outras palavras: "Caso tenhamos deixado algum de lado, vamos erigir este aqui, que não tem nome, e identificá-lo como 'O Desconhecido'".

Paulo não conseguia ficar nem parado nem calado. Sua agitação interior tinha de ser expressa de alguma maneira. Como era seu costume quando visitava uma cidade, o apóstolo primeiramente foi até a sinagoga. Ali ele falou tanto a judeus quanto a gentios tementes a Deus. Mas isso não era suficiente, por isso ele foi para o que poderíamos chamar de centro comercial, o *shopping center* da época. Os atenienses chamavam aquele lugar de ágora, o local de comércio. Paulo levantou-se ali e proclamou com ousadia o Deus dos céus e da terra, assim como seu Filho, Jesus Cristo, que fora crucificado e ressuscitara dos mortos.

Em pouco tempo, os filósofos se reuniram na ágora, como costumavam fazer. Não demorou muito até que percebessem que tipo de pessoa estava entre eles. Tinham até mesmo uma palavra para descrevê-lo: literalmente, um "catador de sementes". Essa é a mesma expressão que usavam para um plagiador. Na visão deles, Paulo havia recolhido um pouco de filosofia aqui, algumas frases ali e, então, reunindo tudo isso, apareceu com uma história intrigante sobre um Deus do céu.

Aqueles filósofos perceberam que havia um lugar aonde Paulo deveria ir se quisesse ter um diálogo inteligente sobre seu ensino, de modo que o acompanharam ao Areópago, termo que significa "Colina de Marte". Ali ele teria uma verdadeira plataforma onde poderia expressar suas ideias.

Se você for a Atenas hoje, provavelmente visitará o Partenon. Em frente ao majestoso Partenon, encontra-se um depósito sólido de granito com quase 120 metros de altura. Durante décadas, as laterais inclinadas ficaram escorregadias por causa dos turistas que tentavam subir ao topo. Por fim, uma escadaria foi construída, tornando a escalada mais fácil e segura. Essa rocha imensa é o mesmo local onde Paulo ficou. Por que ali? Porque era ali que a suprema corte ateniense se reunia. Era ali que ouviam casos de homicídio, lidavam com questões de moralidade, resolviam conflitos e assuntos jurídicos complicados e tratavam de qualquer outra coisa que fosse levada até eles.

Paulo foi escoltado até aquele lugar onde as mentes prestigiosas de Atenas, os chamados areopagitas, se reuniam. Existe um debate sobre quantos areopagitas havia — talvez poucos, cerca de doze, ou quem sabe até trinta. É possível que outras pessoas, do público em geral, tivessem permissão para ficar por perto e ouvir. Imagine como Paulo deve ter se sentido quando se colocou de pé no meio deles como o único cristão. Deve ter sido um daqueles momentos na sua vida em que ele pensou: "Foi para isso que eu nasci".

Pense nisto: aquela foi uma janela de oportunidade aberta pela providência de Deus — uma janela que não voltaria a se abrir para Paulo. Quando os sabichões de Atenas se encontraram com o "catador de sementes" de Jerusalém, devem ter se perguntado o que ele tinha a dizer que pudesse lhes prender a atenção. Isso é que é um lugar difícil para fazer um discurso! Mas Paulo não estava intimidado nem relutante. Não gaguejou. Foi para frente, ficou em pé e proclamou uma mensagem intrigante. Foi breve, mas poderosa.

Enquanto nos aprofundamos em Atos 17.22, lembre-se do que aprendemos sobre observação: *O que a Bíblia diz?* Depois, chegamos à interpretação: *O que isso significa?* Nosso estudo é embelezado pela correlação: *O que a Bíblia diz em outras passagens sobre o mesmo assunto ou sobre temas similares?* O passo final é a aplicação: *O que essa passagem diz a mim ou a outra pessoa?* Vamos caminhar por esses quatro passos enquanto examinamos a apresentação de Paulo.

Você perceberá que a transcrição do discurso de Paulo começa no versículo 22 e termina no 31, em que Paulo se refere à ressurreição de Jesus. Ele pode ter dito mais coisas, mas Lucas registrou apenas aquelas palavras. Vamos abrir caminho por elas, sendo cuidadosos para não deixar de lado as coisas importantes. Não permita que sua mente divague.

> Então Paulo se levantou diante do conselho e assim se dirigiu a seus membros: "Homens de Atenas, vejo que em todos os aspectos vocês são muito religiosos".
>
> Atos 17.22

A primeira coisa que notamos é que o discurso de Paulo está registrado em apenas dez versículos. Para garantir que não deixemos nada significativo de lado, recomendo a leitura desse discurso várias vezes, tanto de maneira silenciosa quanto em voz alta. Contei o tempo e descobri que a mensagem de Paulo levou cerca de dois minutos para ser transmitida. Surpreendente. Paulo foi sucinto e direto ao ponto, um "mestre da concisão", nas palavras que Charles Spurgeon, o pregador britânico do século 19, usou para descrevê-lo.

Também podemos observar que Paulo usou termos que qualquer um poderia entender. É importante ter isso em mente, uma vez que uma das características de um bom discurso é que ninguém seja desagradado ou desprezado por causa da verborragia. Ele não usou "crentês", porque seus ouvintes não eram cristãos. Não mencionou seu treinamento teológico aos pés de Gamaliel, porque isso teria pouca importância para eles; eram filósofos, não teólogos. Sua linguagem seria de interesse do público geral e entendida por todos, tanto jovens quanto idosos. Não havia "códigos secretos" que as pessoas precisassem saber para que a mensagem fosse entendida.

Permita-me fazer outra observação. Paulo apresentou sua mensagem sem nenhum período de preparação. Os atenienses o levaram direto do centro de comércio para a Colina de Marte, onde ele se levantou e fez seu discurso. Ele não portava nenhum rolo das Escrituras. Não havia um local tranquilo para ele organizar seus pensamentos e montar seu discurso. Mas podemos ter certeza de que ele tinha um reservatório da verdade no fundo do coração. Seu discurso espontâneo brotou de seus anos de estudo. Quando ele abriu a boca, suas palavras fizeram sentido.

As palavras não só eram biblicamente sólidas, mas também estavam conectadas com seus ouvintes. Não é suficiente apenas conhecer as Escrituras; também precisamos ser capazes de construir pontes entre nós e nossa audiência. É muito fácil achar que estamos sendo entendidos quando isso não está de fato acontecendo.

Vou apresentar um exemplo engraçado para quem conhece as particularidades da língua inglesa. Bubba entrou no consultório do médico, e a recepcionista perguntou por que ele estava ali. Bubba disse simplesmente: "*Shingles*". Ela anotou o nome, endereço e o número de seu documento e pediu a ele que se sentasse.

Quinze minutos depois, uma enfermeira apareceu e mais uma vez perguntou a Bubba o que ele tinha. Ele disse novamente: "*Shingles*". Ela tomou nota de sua altura, de seu peso e fez um histórico médico completo. Pediu que ele esperasse na sala de triagem.

Meia hora depois, uma enfermeira apareceu e perguntou o que ele tinha. "*Shingles*", disse ele outra vez. Assim, a enfermeira tirou um pouco de sangue, mediu sua pressão e fez um eletrocardiograma. Pediu que Bubba tirasse toda a roupa e esperasse pelo médico.

Uma hora depois, o médico apareceu e viu Bubba sentado pacientemente, completamente nu. Ele perguntou a Bubba o que ele tinha.

— *Shingles!*

— Onde? — perguntou o médico.

— Lá fora, no caminhão! — disse Bubba. — Onde devo descarregar?[2]

Às vezes você acha que está se comunicando com clareza quando, na verdade, está errando o alvo completamente!

Paulo não errou o alvo na Colina de Marte. Ele estava construindo uma ponte até sua audiência — uma ponte construída com palavras. Suas palavras levaram seus ouvintes do lugar onde estavam para onde ele queria que fossem. Seu plano era apresentar-lhes alguém que não conheciam.

As técnicas de discurso de Paulo

Depois de analisar detalhadamente o discurso de Paulo, descobri cinco técnicas que ele usou e que nós podemos usar hoje.

Primeiro, Paulo começou onde seus ouvintes estavam. "Homens de Atenas, vejo que em todos os aspectos vocês são muito religiosos" (At 17.22). Façamos uma pequena pausa, deixando Paulo em pé junto daqueles filósofos e imaginando a cena. Ele não insultou sua audiência; não a condenou. Em vez disso, começou com uma frase de abertura bem agradável: "Vejo que em todos os aspectos vocês são muito religiosos". Quando se alimenta os famintos, é muito bom gerar apetite.

Em seu livro *O eclipse da graça*, Philip Yancey escreve:

> Faz uma enorme diferença se trato alguém que não crê como trato alguém que está errado, e não como alguém que está a caminho, mas perdido. Vejo um modelo útil no discurso do apóstolo Paulo no centro cultural de Atenas, registrado em Atos 17. Em vez de condenar sua plateia ao inferno por prática de idolatria, Paulo começa elogiando a busca espiritual de seus ouvintes, em especial sua devoção a um "Deus desconhecido". Deus planejou a criação e a vida humana, disse Paulo aos atenienses, para que "os homens o buscassem e talvez, tateando, pudessem encontrá-lo, embora [ele] não esteja longe de cada um de nós" (At 17.27). Paulo constrói sua argumentação partindo de uma base

comum, citando dois autores atenienses para afirmar verdades fundamentais. Demonstrando humilde respeito por seus ouvintes, ele aborda os temas do estado de perdição e da família desagregada antes de apresentar um entendimento mais rico de um Deus que não pode ser capturado em imagens de ouro, prata ou pedra.[3]

Se você fosse um dos sofisticados areopagitas, não teria se sentido prejudicado ou desprezado ao ouvir a fala inicial do discurso. Ele começou onde eles estavam e sua declaração lhes prendeu a atenção. Então, Paulo continuou:

> Enquanto andava pela cidade, reparei em seus diversos altares. Um deles trazia a seguinte inscrição: "Ao Deus Desconhecido". Esse Deus que vocês adoram sem conhecer é exatamente aquele de que lhes falo.
>
> Atos 17.23

Os filósofos viviam em Atenas, e a maioria deles provavelmente estava ali desde o início da vida adulta, ou até mesmo desde a infância. Haviam caminhado por entre os santuários e sabiam exatamente sobre o que Paulo estava falando. Ele estabeleceu um ponto de contato com seus ouvintes desde o início.

O evangelista Billy Graham também era bem hábil em fazer conexão com sua audiência. Ele chegava a uma cidade antes do início de sua cruzada e fazia um estudo da área. Depois, quando se colocava diante das pessoas, ele se referia a alguma característica singular da cidade no início de sua mensagem. É um excelente princípio a ser lembrado: comece onde sua audiência está.

Perceba, porém, que Paulo não bajulou os ouvintes. "Vejo que em todos os aspectos vocês são muito religiosos." Essa era uma declaração verdadeira. Tendo estado no meio dos santuários — dezenas de milhares deles —, Paulo lembrou-se de um: *Agnosto Theo*. Diante daqueles homens inteligentes, ele trouxe à discussão aquele ídolo em particular e, com efeito, disse: "Eu vi esse 'Deus Desconhecido', esse Deus a quem vocês adoram sem conhecer. Vocês não o conhecem, mas eu tive um encontro com ele e estou aqui para apresentar vocês a ele".

Não sei quanto a você, mas quando estava lendo esse relato pela enésima vez eu sorri, percebendo a genialidade dessa ligação entre um ídolo e o Senhor vivo. Paulo construiu uma ponte com palavras para capturar a atenção de sua audiência. Ele começou onde eles estavam.

Segundo, Paulo usou o familiar para apresentar o desconhecido. Vimos esse princípio em ação no capítulo anterior, quando Jesus contou a parábola do lavrador. Lemos sobre o solo duro, o solo rochoso, o solo espinhoso e o solo fértil. Também percebemos como foi apropriado o fato de Jesus escolher uma ilustração da agricultura, uma vez que se tratava de algo familiar a todos os seus ouvintes. Neste caso, Paulo apontou para o "Deus Desconhecido", como que dizendo: "Esse Deus é desconhecido para vocês agora, mas ele não é apenas conhecível; ele está disponível. Permitam-me falar a vocês sobre ele". Que transição excelente!

Terceiro, Paulo desenvolveu seu tema de maneira clara e lógica. Observe a ponte que ele continuou a construir com suas palavras:

> Ele é o Deus que fez o mundo e tudo que nele há. Uma vez que é Senhor dos céus e da terra, não habita em templos feitos por homens e não é servido por mãos humanas, pois não necessita de coisa alguma. Ele mesmo dá vida e fôlego a tudo, e supre cada necessidade.
>
> Atos 17.24-25

O fato de Deus ter criado o mundo e tudo que nele há era novidade para aqueles filósofos. Eles foram ensinados pelas mentes mais brilhantes de Atenas e de outros lugares, mas nunca lhes fora ensinado sobre o Deus criador.

Se viajar para a Grécia hoje e contratar um guia local, você aprenderá tudo sobre a mitologia da Grécia, mas nada sobre o Deus do céu. A religião está tomada de mitologia, assim como Atenas estava cercada por numerosos deuses. Então, com ousadia, Paulo anunciou que lhes falaria sobre "o Deus que fez o mundo e tudo que nele há". Consegue imaginar a confusão daqueles filósofos quando Paulo lhes apresentou o "Senhor dos céus e da terra"? Note a mudança de "Deus" para "Senhor". Esse não é apenas o Deus que criou todas as coisas no céu e na terra; ele é o *Senhor* dos céus e da terra.

Pare e pense em como Deus está sendo descrito aqui. Como Criador, ele não pode ser contido. Como Originador, não tem necessidades. Uma vez que é inteligente, ele tem um plano definido. De fato, ele satisfaz qualquer necessidade. Paulo estava embalado; ele não se conteve.

> De um só homem ele criou todas as nações da terra, tendo decidido de antemão onde se estabeleceriam e por quanto tempo.
>
> Atos 17.26

Quem é esse homem? Adão, é claro. Porém, aqueles filósofos atenienses nunca haviam escutado essa história. Ela se encontra em Gênesis, um pergaminho que não fazia parte da biblioteca deles. Em nenhum momento Paulo citou um versículo do Antigo Testamento nem falou o nome de Cristo. Lembre-se: sua audiência não estava familiarizada com a história bíblica. Em vez disso, ele mencionou Aquele que começou com "um só homem", por meio de quem Deus "criou todas as nações da terra".

Como se isso não bastasse, perceba a referência velada de Paulo à soberania de Deus sobre as nações. A parte final do versículo se refere a elas. As nações não haviam surgido de um mero passado evolucionário. Os continentes não haviam simplesmente se formado como resultado de enormes transformações geológicas. Não, as nações foram determinadas pelo Deus dos céus. Ele sabe com exatidão o que está fazendo. Ele tem um plano divinamente traçado e que está se desenrolando à risca como o Deus Criador o arranjou.

Paulo destacou que Deus arranjou o mundo de acordo com seu plano, muito embora as pessoas nunca tivessem ouvido a voz do Senhor e não houvesse uma imagem física dele.

Depois disso, em que direção Paulo seguiu em seu discurso? Ele precisava assentar os últimos "tijolos de palavras" em sua ponte. Tendo usado o familiar para apresentar o desconhecido, ele desenvolveu seu tema de maneira clara e lógica. Nesse ponto, eles provavelmente estavam pensando algo como: "Isso está ficando bem profundo". A mente deles pode ter começado a divagar. Foi quando Paulo lançou mão de outra técnica.

Quarto, ele usou ilustrações interessantes para prender a atenção.

> Seu propósito era que as nações buscassem a Deus e, tateando, talvez viessem a encontrá-lo, embora ele não esteja longe de nenhum de nós.
>
> Atos 17.27

Vale a pena notar que Paulo cita Arato de Solos (uma passagem que ele obviamente havia memorizado, uma vez que não teve tempo de preparar seu discurso). Em sua formação, Paulo sem dúvida estudou Arato, que viveu no século 3 a.C. Com muita sabedoria, o apóstolo citou apenas um verso do poema. Deixe-me apresentar os três primeiros versos, e você entenderá por que Paulo os omitiu:

> Zeus enche as ruas, os comércios;
> Zeus enche os mares, as praias, os rios!
> Em todo lugar nossa necessidade é Zeus!
> Também somos descendência dele.

Paulo não mencionou Zeus porque, embora os atenienses pudessem acreditar que Zeus era o deus supremo, ele não era o Deus dos céus e da terra. Paulo estava simplesmente dizendo: "Aquele que estou apresentando a vocês é Aquele que verdadeiramente é o nosso Pai, o Pai de todas as pessoas". Continue a leitura do discurso à medida que ele se revela:

> Pois nele vivemos, nos movemos e existimos. Como disseram alguns de seus próprios poetas: "Somos descendência dele". E, por ser isso verdade, não devemos imaginar Deus como um ídolo de ouro, prata ou pedra, projetado por artesãos.
>
> Atos 17.28-29

A ponte está quase pronta. Mas os atenienses ainda estão coçando a cabeça e puxando a barba, pensando "Aonde ele vai com tudo isso?". É então que Paulo aplica sua técnica final.

Quinto, Paulo aplica a mensagem em nível pessoal e de modo eficiente. Vamos dar uma olhada:

> No passado, Deus não levou em conta a ignorância das pessoas acerca dessas coisas, mas agora ele ordena que todos, em todo lugar, se arrependam. Pois ele estabeleceu um dia para julgar o mundo com justiça, por meio do homem que ele designou, e mostrou a todos quem é esse homem ao ressuscitá-lo dos mortos.
>
> Atos 17.30-31

O verbo "arrepender" é uma daquelas palavras-chave que precisamos verificar. Significa "mudar de mentalidade", e capta a ideia de ir em uma direção e, então, voltar-se para a direção oposta. Em relação ao pecado, isso significa uma mudança completa. Conhecemos aquele que Deus ressuscitou dos mortos, mas os filósofos não conheciam.

Diante da declaração de Paulo sobre a ressurreição, as pessoas pararam de ouvir. Mas não pense que elas não entenderam a questão. E não suponha que Paulo não sabia que os atenienses foram ensinados desde a infância que não havia ressurreição. Eles eram instruídos desde novos em palavras como as desta citação, atribuída ao deus Apolo em *Eumênides*: "Uma vez que um homem morre e a terra suga seu sangue, não há ressurreição". Quando perceberam aonde Paulo estava indo, ergueram suas defesas. Cruzar essa ponte significava confiar em alguém diferente deles próprios, voltar-se àquele que havia morrido por seus pecados e que ressuscitara dos mortos.

Tão logo o diálogo começou, os freios começaram a chiar. Alguns dos ouvintes de Paulo começaram a rir. Observemos três reações comuns à ressurreição de Jesus, começando pelo versículo 32.

> Quando ouviram Paulo falar da ressurreição dos mortos, alguns riram com desprezo. Outros, porém, disseram: "Queremos ouvir mais sobre isso em outra ocasião". Então Paulo se retirou do conselho, mas alguns se juntaram a ele e creram.
>
> Atos 17.32-34

A resposta da maioria da audiência seguiu esta linha: "Você está brincando? Acredita nessa bobagem?". É interessante notar que Paulo não insistiu com eles para que cressem. Ele nem sequer pediu uma resposta. Perceba que, embora alguns tenham zombado, outros disseram: "Queremos ouvir mais sobre isso em outra ocasião". (Uma das expressões mais perigosas que uma pessoa pode usar depois de ouvir o evangelho é "em outra ocasião".)

Não espere por "outra ocasião"

Recentemente, um homem de 48 anos me disse: "Eu era um modelo de saúde e, não faz muito tempo, tive uma dor de cabeça. Ela foi bem forte. A pessoa com quem eu estava disse: 'Quer uma aspirina?'. Eu respondi: 'Não, vou ficar bem'. Mas logo depois comecei a vomitar e tive uma forte diarreia e, em seguida, desmaiei. A primeira coisa de que me lembro depois disso é de acordar em uma cama de hospital. Eu havia sofrido um derrame". Quarenta e oito anos de idade. O médico lhe disse, depois do exame: "Você quase morreu em três ocasiões, mas, surpreendentemente, está vivo". Quando pedi permissão ao meu amigo para usar sua história, ele disse: "Por favor, faça isso. Ela pode despertar as pessoas para que não procrastinem".

Meu amigo disse que estava pronto para morrer porque já havia confiado em Cristo. Se ainda não fez isso, você pode achar que tem tempo de sobra. Acha que tem o controle da situação e que pode aceitar Cristo em outra ocasião. Você diz: "Talvez eu me torne cristão depois do começo do ano ou quando conseguir o emprego que estou procurando". Ou: "Talvez eu firme o compromisso quando vencer essa batalha com as drogas ou o álcool. Depois que eu vencer, serei capaz de seguir na direção certa". Não se iluda! Aqueles que dizem "em outra ocasião" geralmente morrem com a palavra ainda nos lábios. Você não sabe quando haverá uma colisão de carros ou quando seu coração baterá pela última vez. Meu médico me disse que em muitos ataques do coração não existe nenhuma dor; a pessoa simplesmente morre.

Se você ainda não creu no Senhor Jesus Cristo, aprenda uma lição com aqueles que insensatamente disseram a Paulo: "Vamos falar com você mais tarde". (A propósito, não há registro em Atos e nem em qualquer outra parte das Escrituras que diga que aqueles que procrastinaram voltaram a falar com o apóstolo em algum momento.)

Fico impressionado, porém, com o fato de que houve alguns poucos em Atenas que creram logo depois da mensagem de Paulo. Veja isto:

> Mas alguns se juntaram a ele e creram. Entre eles estavam Dionísio, membro do conselho, uma mulher chamada Dâmaris, e alguns outros.
>
> Atos 17.34

Isso é que é crer sob pressão! Dionísio, um dos atenienses, disse basicamente o seguinte: "Cruzei a ponte. Quero saber mais sobre aquele que morreu e foi ressuscitado por mim". Do mesmo modo, houve uma mulher chamada Dâmaris que também creu. Nada mais sabemos sobre essa mulher além da menção feita aqui. E não pense que esses foram os únicos convertidos. Por favor, observe que "alguns se juntaram a ele e creram". Houve outros, além desses dois que foram citados nominalmente, mas não sabemos quantos mais. Não sabemos nada sobre o histórico deles; tudo que sabemos é que, de algum modo, Paulo foi capaz de aplicar a mensagem e eles não conseguiram deixar de escutá-la.

No capítulo anterior, pedi a você que refletisse sobre qual tipo de solo você é. No final deste capítulo, peço-lhe que se localize na Colina de Marte. Você está entre os que vão embora, zombando: "Ah, como é que alguém poderia acreditar numa coisa dessas"? Você tem a liberdade de fazer isso. Pode optar por rejeitar a mensagem de perdão e esperança eterna. Ou pode, de forma trágica, pensar que, ao adiar a decisão, não a esteja adiando completamente. Mas é o que está fazendo, pois conta com o futuro, embora este não seja de modo nenhum garantido. Ou talvez você esteja entre aqueles de nós que, pela graça de Deus, decidiram que aquele que morreu por nós é digno de tudo, e cremos nele.

Há urgência quando o assunto é servir o alimento das Escrituras aos famintos. A comida precisa ser cuidadosamente planejada e bem preparada. A exemplo de Paulo, você um dia pode ser chamado para alimentar pessoas. Nem todo mundo apreciará a refeição; alguns irão embora com fome. O relato de Atos 17 prova isso. Mas quando as Escrituras são adequadamente estudadas e ensinadas, o Espírito de Deus moverá e atrairá aqueles cujo coração está faminto pelo Pão da Vida. Nosso objetivo é prepará-lo bem e servi-lo da maneira mais atraente possível. Quando fizermos isso, os famintos serão alimentados — e Deus será glorificado.

Sua vez na cozinha

Alimentar o faminto nem sempre é fácil. Como vimos no relato de Paulo na Colina de Marte, às vezes a Palavra de Deus é recebida com resistência. Contudo, nosso chamado é para apresentar com cuidado, graça e ousadia as verdades das Escrituras, independentemente da reação. Este exercício o desafiará a tentar fazer isso sozinho.

1. Busque uma oportunidade de apresentar uma passagem das Escrituras e seu significado a alguém. Pode ser uma oportunidade surgida em sua igreja ou em um café com um amigo. Quer você esteja ensinando para

uma pessoa, quer para um grupo pequeno, separe tempo para preparar-se cuidadosamente. Isso inclui conhecer um pouco sobre a audiência, a fim de criar uma ponte que ligue as experiências de vida dela às verdades bíblicas que você vai apresentar. Siga o modelo de *observação, interpretação, correlação* e *aplicação*. Você talvez queira apresentar uma das passagens que discutimos neste livro ou alguma das passagens de um exercício anterior.

2. Analise cuidadosamente sua audiência e qual a melhor maneira de ajudá-la a aplicar a passagem. Ore pedindo a orientação do Espírito enquanto você se prepara. Depois, a exemplo do apóstolo Paulo na Colina de Marte, apresente as verdades das Escrituras e confie que Deus usará sua Palavra para a glória dele. Lembre-se do que aprendemos com as técnicas de discurso de Paulo conforme considerar o seguinte:

   Tenha em mente o nível de maturidade espiritual de seus ouvintes — se eles são crentes maduros, cristãos novos ou talvez até pessoas que nunca ouviram as verdades da Palavra de Deus.

   Use o familiar para apresentar o desconhecido. Com quais exemplos do dia a dia sua audiência pode se identificar e quais deles podem vir a ajudar aquelas pessoas a entenderem as Escrituras?

   Desenvolva seu tema de maneira clara e lógica. Explique cuidadosamente a conexão entre a ilustração que você vai usar e a verdade da passagem bíblica.

   Use ilustrações interessantes para prender a atenção da audiência. Faça uma ligação das verdades da Palavra de Deus diretamente com seus ouvintes, de modo que eles sintam o impacto em sua vida.

   Aplique a mensagem de maneira pessoal e eficiente. Apresente a verdade com um chamado à ação, encorajando seus ouvintes a responderem.

Depois de sua sessão de ensino, registre os resultados. O modo de apresentação o deixou satisfeito? Se tivesse a oportunidade de fazer isso novamente com a mesma pessoa, que mudanças faria na segunda vez? Esteja certo de que quanto mais você se envolver na apresentação da Palavra de Deus, mais confortável se sentirá.

Uma palavra final

Bon appétit

....

O fornecimento de refeições nutritivas
para si e para os outros

Durante os nossos mais de sessenta anos de casamento, Cynthia e eu temos tido o prazer de desfrutar juntos inúmeras refeições deliciosas. Até hoje, várias delas se destacam entre as melhores.

Nunca nos esqueceremos do jantar de cinco pratos, à luz de velas, que comemos observando a baía de Kapalua em Maui, quando comemoramos nossas bodas de prata. Com a lua cheia brilhando, tochas acesas ao redor e a silhueta distante da ilha de Molokai no horizonte do Pacífico azul, a adorável atmosfera abrilhantou nossa deliciosa refeição. Que memorável noite romântica!

Durante uma viagem internacional com minha irmã e vários amigos, comemos no histórico Hotel Ritz em Paris. Tínhamos uma ótima equipe reunida — e que jantar suntuoso foi servido! Desde o instante em que entramos na sala de jantar até o momento em que nos levantamos para sair, fomos envoltos por elegância.

Depois de duas convenções com milhares de ouvintes do programa de rádio Insight for Living em Memphis, Tennessee, nossa equipe de liderança saiu para desfrutar as famosas costelas na brasa, com todos aqueles acompanhamentos deliciosos em um restaurante no subsolo de um prédio, chamado Charlie Vergos' Rendezvous. Aquilo é que é um sabor maravilhoso casado com uma atmosfera formidável! A música *country* ao vivo que tocava ao fundo adicionou o toque perfeito. Meu filho mais velho me desafiou a comer mais que ele. Não me lembro quem ganhou, mas eu parei na décima segunda costela!

Lá em meados da década de 1960, quando servia como pastor em uma pequena igreja de Waltham, Massachusetts, Cynthia e eu atravessávamos metade do estado até um restaurante exótico chamado Old Mill, localizado no meio da floresta, não muito longe de um vilarejo tranquilo. O ambiente era tão atraente quanto as deliciosas refeições que eles serviam em pratos de metal, e ainda guardamos na memória as sobremesas da casa, especialmente o fenomenal *crème brûlée*.

Voltando ainda um pouco mais, quando era aluno do Seminário Teológico de Dallas e antes de iniciarmos nossa família, Cynthia e eu reservávamos a noite de sexta-feira como nossa noite de encontro. Nosso lugar favorito era um restaurante pequeno e simples chamado Heath's Steakhouse, no bairro de Oak Lawn. Todos os clientes, que eram operários, se sentavam em banquetas junto ao balcão e assistiam ao cozinheiro preparar seus filés. A garçonete (que ostentava uma tatuagem bem antes de as tatuagens virarem moda) tinha um rosto tão cheio de sulcos quanto uma estrada de terra e um forte sotaque caipira, chamando todo homem de "benhê" ou "quirídu". Não ria — o lugar se encaixava em nosso orçamento. A garçonete conseguia misturar uma salada mista em uma tigela de plástico e inundá-la de tempero mais rápido do que você poderia espirrar. O filé apimentado e malpassado, com uma enorme batata recheada com manteiga, bacon, nata e cebolinha, era simplesmente de outro mundo. Quando saíamos, eu sempre pensava: "Uma refeição dessa por apenas oito dólares!".

Não posso me esquecer das refeições do Dia de Ação de Graças que Cynthia e eu preparamos no decorrer dos anos, com todos os membros da família reunidos. Era sempre um prazer preparar e servir o tradicional peru e seu molho, juntamente com todos os pratos deliciosos que são tradicionais nesses banquetes. E, é claro, havia nossas três tortas favoritas, que Cynthia sempre preparava do zero: abóbora, limão e noz pecã. Minha boca saliva só de pensar nas refeições que comíamos enquanto comemorávamos minha data favorita do ano. Depois do banquete, sempre continuávamos sentados à mesa como família, compartilhando o que o ano nos trouxera e especialmente o que o Senhor nos ensinara no processo — histórias reais, muitas vezes contadas em meio a lágrimas. Não há como superar lembranças como essas.

O que é válido para ótimas refeições também vale para grandes mensagens que foram cuidadosamente preparadas e apresentadas de maneira atraente. Elas não são apenas instrutivas e enriquecedoras; também alimentam nossa alma e, com o passar do tempo, transformam nossa vida.

Ao refletir sobre as décadas em que tenho sido discípulo de Cristo, consigo me lembrar vividamente de ouvir um grande número de mensagens bem preparadas e que alimentaram minha alma, contribuindo para meu crescimento espiritual. Invariavelmente, elas representaram observações apuradas extraídas da Palavra de Deus, bem como interpretações criteriosas e precisas que abriram meu coração para as verdades que, sozinho, eu não teria captado. Conforme o versículo ou a passagem das Escrituras foi correlacionado com outras passagens bíblicas, minha compreensão se expandiu. E quando a aplicação foi apropriadamente feita e cumpriu seu propósito, expondo e invadindo áreas de minha vida que precisavam ser corrigidas, encontrei nutrição e encorajamento. Fui extraordinariamente abençoado durante toda a minha vida por ser o destinatário de uma instrução tão saudável e sadia da parte de pregadores e mestres capacitados!

Meu principal desejo ao escrever este livro é passar o bastão nessa tão importante corrida de revezamento da verdade. Escrevi com o propósito de ajudá-lo a saber como examinar as Escrituras por conta própria. Assim que você tiver dominado essa habilidade, quero estimulá-lo a passar o bastão para outros, de modo que eles também possam aprender a encontrar os preciosos tesouros da Palavra de Deus e ter a própria vida transformada. Então, eles mesmos poderão passar essas verdades também a outros.

Como você agora compreende, essa corrida de revezamento divina nunca acaba. No mundo de fome espiritual em que vivemos, devemos continuar a servir refeições espirituais às pessoas famintas que carecem desesperadamente de nutrição. É tanto nosso privilégio quanto nossa responsabilidade fazer isso.

Que a sua jornada pela Bíblia nunca termine. Que a sua caminhada com Cristo continue a se aprofundar. Que o seu conhecimento e discernimento aumentem à medida que você se prostar humildemente sob a poderosa mão de Deus. Que você possa ser usado para encorajar muitos a conhecerem o banquete que os espera conforme descobrem como encontrar os ingredientes, preparar o alimento e servir a refeição que, pela graça e pelo poder de Deus, transformará vidas por todo o mundo.

Bon appétit!

Notas

Capítulo 2

[1] A. W. Tozer, *The Pursuit of Man* (Chicago: Moody, 2015), p. 20.

[2] Robert Ballard, "A Long Last Look at Titanic", *National Geographic* (dez. de 1986).

[3] C. S. Lewis, *The Weight of Glory* (Nova York: HarperCollins, 2001 [publicado no Brasil sob o título *O peso da glória*. Rio de Janeiro: Thomas Nelson Brasil, 2017]), p. 58.

Capítulo 3

[1] Charles H. Spurgeon, *The Golden Alphabet* (1887), prefácio.

[2] C. S. Lewis, *The Problem of Pain*, em: *The Complete C. S. Lewis Signature Classics* (Nova York: HarperCollins, 2006 [publicado no Brasil sob o título *O problema do sofrimento*. São Paulo: Vida, 2006]), p. 605.

[3] Merril F. Unger, *Dicionário Bíblico Unger* (São Paulo: Sociedade Bíblica do Brasil, 2017).

[4] William Tyndale, *Tyndale's Old Testament: Being the Pentateuch of 1530, Joshua to 2 Chronicles of 1537, and Jonah* (Yale University Press, 1992), p. 4.

Capítulo 4

[1] Charles R. Swindoll, *Come Before Winter* (Portland, OR: Multnomah, 1985), p. 120.

Capítulo 5

[1] Equivalentes em português à NASV e à NLT seriam, respectivamente, a Almeida Revista e Atualizada (RA) e a Nova Versão Transformadora (NVT). [N. do T.]

[2] Bernard Ramm, *Protestant Biblical Interpretation: A Textbook of Hermeneutics* (Grand Rapids, MI: Baker, 1970), p. 4-5.

[3] Idem, p. 6.

[4] John R. W. Stott, *Between Two Worlds* (Grand Rapids, MI: Eerdmans, 1982), p. 211.

Capítulo 6

[1] Equivalente em português às versões mais antigas baseadas na tradução de João Ferreira de Almeida, como a Revista e Corrigida (RC) ou a Corrigida e Fiel (CF). [N. do T.]

[2] Stephen Arterburn e Jack Felton, *Toxic Faith: Experiencing Healing from Painful Spiritual Abuse* (Colorado Springs: Waterbrook, 2001), p. 1-3.

[3] Howard G. Hendricks e William D. Hendricks, *Living by the Book: The Art and Science of Reading the Bible* (Chicago: Moody, 1993 [publicado no Brasil sob o título *Vivendo na Palavra*. São Paulo: Batista Regular, 1998]), p. 231.

[4] Walter Bauer, *A Greek-English Lexicon of the New Testament and Other Early Christian Literature*, org. Frederick William Danker, 3ª ed. (Chicago: University of Chicago Press, 2001), p. 948.

[5] William Barclay, *The Letters of James and Peter: The New Daily Study Bible* (Louisville, KY: Westminster John Knox Press, 2003), p. 402.

[6] Idem, p. 403.

Capítulo 7

[1] A. W. Tozer, *The Root of the Righteous* (Chicago: Moody, 2015), p. 165.

Capítulo 8

[1] Ryan Holiday, *The Obstacle Is the Way: The Timeless Art of Turning Trials into Triumph* (Nova York: Penguin, 2014 [publicado no Brasil sob o título *O obstáculo é o caminho*. Rio de Janeiro: Bicicleta Amarela, 2015]), p. 66-67.

[2] Roy B. Zuck, *The Speaker's Quote Book* (Grand Rapids, MI: Kregel, 2005), p. 309.

[3] Idem.

[4] A. W. Tozer, *God's Pursuit of Man* (Chicago: Moody, 2015), p. 19.

Capítulo 9

[1] James R. Edwards, *The Gospel according to Mark* (Grand Rapids, MI: Eerdmans, 2002), p. 126.

[2] Warren Wiersbe, *Preaching and Teaching with Imagination: The Quest for Biblical Ministry* (Grand Rapids, MI: Baker, 2007), p. 52.

[3] Steven J. Lawson, *Famine in the Land: A Passionate Call for Expository Preaching* (Chicago: Moody, 2003), p. 81-82.

[4] Blake Proctor, "Financial Planning", Opinion, *Miller County Liberal*, 30 de nov. de 2011, disponível em: <http://www.millercountyliberal.com/news/2011-11-30/Opinion/Financial_planning.html>. Acesso em: 22 de jan. de 2019.

[5] Richard H. Seume, *Shoes for the Road* (Chicago: Moody, 1974), p. 29.

Capítulo 10

[1] Edwin Wilbur Rice, *Commentary on the Acts* (Philadelphia: American Sunday-School Union, 1900), p. 224.

[2] Em inglês, o termo *shingles* pode se referir tanto a uma inflamação aguda e dolorosa da pele quanto às telhas usadas para cobrir casas, prédios etc. [N. do T.]

[3] Philip Yancey, *O eclipse da graça: Onde foi parar a boa-nova do cristianismo?* (São Paulo: Mundo Cristão, 2015), p. 54.

Compartilhe suas impressões de leitura,
mencionando o título da obra, pelo e-mail
opiniao-do-leitor@mundocristao.com.br
ou por nossas redes sociais

Esta obra foi composta com tipografia Palatino
e impressa em papel Pólen Soft 70 g/m² na gráfica Imprensa da Fé